春风文艺出版社

谁恋爱谁孤单

十三 著

© 十三　2005

图书在版编目（CIP）数据

谁恋爱谁孤单/十三著. — 沈阳：春风文艺出版社，
2005.10
　　ISBN 7-5313-2930-1

　Ⅰ. 谁… Ⅱ. 十… Ⅲ. 长篇小说 — 中国 — 当代
Ⅳ. I 247.5

中国版本图书馆 CIP 数据核字（2005）第 063164 号

谁恋爱谁孤单

责任编辑　施凌飞
责任校对　陈　杰
装帧设计　马寄萍
内文配图　FIOR
出版发行　春风文艺出版社
社址　沈阳市和平区十一纬路 25 号　　　邮编　110003
http://www.chinachunfeng.net
Email：shilingfei77@163.com
联系电话　024-23284285
传真　024-23284393
购书热线　024-23284402
印刷　沈阳市第三印刷厂
幅面尺寸　145mm×210mm
字数　160 千字
印张　6.5　插页　10
印数　1-15 000 册
版次　2005 年 10 月第 1 版
印次　2005 年 10 月第 1 次印刷
定价　15.00 元

到底是孤单了才长大，
还是长大了才会孤单？

我说誓言
你说誓言是打发寂寞随口的哼哼
我说永远
你说永远前面得加上一瞬间
我说我要我们在一起
你说人从来只和自己在一起

目 录

第二章　也许快乐也许孤单／065

乐就可以表达高兴

为什么前面得带个快字？

那是叫你赶紧高兴完

好回到孤单里

现在明白了吧

为什么高兴的时候总是一刹那

我说誓言

你说誓言是打发寂寞随口的哼哼

我说永远

你说永远前面得加上一瞬间

我说我要我们在一起

你说人从来只和自己在一起

我

他们说追求需要思索

思索需要孤独

而我的孤独需要感触

感触生命带来的甜蜜和疼痛

于是我好像成熟了——只是因为

我孤独了——只是太孤独了

引　子

　　"最近比较烦比较烦比较烦，总觉得时间过得有一点太慢，我想我还是不习惯，半夜传奇白天还能 CS，啊，最近比较烦比较烦比较烦，夏天的气温一天比一天更冷，青格回到草原放牧捡牛粪，我也许等下就该继续网，啊，麻烦，我太烦，哎哟，怎么过个暑假会越来越难——"

　　中午 12 点半，我睁开眼第一时间即兴演唱一段方啸含版《最近比较烦》，唱完了感觉还不错，于是一边下床一边还继续吼着："烦啦烦啦我不费力气，烦啦烦啦我歇斯底里。"只是我马上就发现自己面临的最大麻烦是居然找不到睡前还穿着的拖鞋，抠着脑袋想了想觉得肯定是被"花脸"拖去当玩具了，便光脚下了床准备找到那只比自己还讨厌的懒猫教训一顿。

　　花脸是我上学期一天晚自习结束后，在回家路上捡到的一只流浪猫，与其说是捡到它的，不如说是这猫死皮赖脸硬要跟着我的，在黑夜里突然出现就尾随着人家，不住地喊着："妈哦——妈哦——"别笑，它真就是这么喊的，倒不是本人被它喊得体内激素变异动了"母性"，只是想起家中正在遭受鼠灾，便一把将它揉进

了书包。

人家说猫有一种特性，就是到了新的环境里，性格会很像带它到这环境里的人，这种传闻没有具体根据，但是老妈却在花脸进家门后相信了这种说法。她说花脸和他儿子都喜欢吃鱼，我就说猫都是喜欢鱼的；她说花脸和我一样都喜欢睡懒觉，但是哪只猫不是半夜醒着白天眯眯眼？而我出于发育需要也是要有充分睡眠时间的；她说花脸和我都对球类运动感兴趣，我喜欢足球、篮球、羽毛球等等，而花脸就喜欢毛线球、乒乓球、气球等等，但是话说回来，男孩子都是喜欢那些球而猫咪也都是喜欢这些球的，所有这些都被本人一一反驳，但是有一天午睡醒来时我的反驳显得有点底气不足了——

那时候我发现自己还是习惯性地侧卧着把手脚都耷拉在床沿，而花脸就在对面的凉椅上侧卧着把前爪后腿都耷拉在椅沿边，我白它一眼，而花脸也正好醒来白了我一眼，于是我伸个懒腰准备起床，而花脸却用力地伸展着自己的身体晃悠着站起来，看它好像故意在学我便气急败坏地冲过去踹它一脚，嘿！个死猫居然也不爪软地给我当腿一爪，还叫一声"妈哦——"就闪到某某角落去了！

"死猫，把我鞋弄哪儿去了？"

一脚把趴在地板上凉快的花脸踹得老远，再顺手将桌上的卷纸使劲砸在它的那张小花脸上，理所当然回答我的只能是一对猫白眼和一声"妈哦！"

穿着老爸的拖鞋机械地洗脸刷牙，机械地做我最拿手的蛋炒饭，也机械地盯着对面楼里那些热闹的窗口，我已习惯在中午这会儿望着那些个窗口，正是做饭的时间，那些窗口里都有人，或一个，或两三个，不知道他们在说些什么，是不是讨论该往菜里加多少盐或者多少味精？而今天，我得隆重恭喜自己的眼睛了，因为它幸运地瞄到对面二楼窗口里，一对恋人在炒锅前亲密地 KISS，不晓得那 KISS 的味道如何，只知道在自己的眼睛出神地观望别人时，鼻子却嗅到自己炒锅里蛋炒饭浓浓的焦味。

"你看我对你多好呀，自己都没吃，就先让你填肚子。"

一边看着花脸吃着自己那份午餐，一边轻柔地抚摸着它的小脑袋，一直到它舔着嘴吃不下为止才一把将它抱起来，而花脸这时候也温顺地在我怀里陪着我在每个房间里转悠，在我刚强的怀抱中毫不挣扎地听我莫名其妙地发神经——

"早上三四点出门，晚上八九点回来，回来就睡觉，我还没醒他们又走了，唉，好辛苦呀，大家都好辛苦，还是你好，吃了睡，睡了吃，不逮耗子，不担心将来，你说你一天活着干吗呀？你怎么不想想去创造点儿什么价值呀？你虽然是猫，但是猫也可以精彩点嘛，你可以发明些新的捉老鼠的方法，然后去跟你的同伴交流，让它们对你刮目相看，然后就会有很多母猫喜欢你了，那多荣耀呀！"

看着花脸一脸的茫然，揪了揪它的耳朵，得到一声"妈哦"的回应，于是又开始讲："算了，我都忘了，你呆在我们这里是没有同伴的，也没有让你发明新方法的平台，更没有母猫会出现在你眼前，你也真是可怜，这么一说起来你真是好孤单呀，孤单过我，不对，我不是还陪着你吗……"

第一章 Q言Q语

孤单时我自言自语

寂寞时我无言无语

烦恼时我胡言乱语

抓狂时我疯言疯语

你来时我们——Q言Q语

（一）遭遇所有人 ● ● ● ● ● ●

8月11号，一个有着美好阳光的日子，就这样饿着肚子，一个人对一只猫说了一整个下午的话，你说这日子咋能这么无聊？

在天快黑的时候最终还是打开了令自己有点反胃的电脑，从暑假一开始，每天面对的便是这个方脑袋的家伙，怎么也得腻味了，所以更不想空着肚子看见 CS 里的爆头景象和魔兽里那些张牙舞爪的怪物，更别说是生化里的恶心尸体，干什么呢，明知道 QQ 里头不会有什么朋友在线，即使在线和那些个同学也没什么好聊的，但是没什么选择将就着打开看看，不料那个暑假里回内蒙的青格·巴雅尔却还想着留了几句话——

"嘯，我在奶奶这里天天吃羊肉喝马奶，两个星期整整多出了4斤，哦，我告诉你啊，由于本人天生就帅得让人喷血，不好意思地让我奶奶的表妹的朋友的弟弟的孙女喜欢上了，整天缠着我给她讲四川的东西，我就是来问你呀，那个青羊宫为什么叫青羊宫，杜甫草堂为什么叫杜甫草堂，收到消息就赶快回答，我这时候要回去了，奶奶家没电脑，我是在网吧呢:) 哦，还忘了告诉你哦，那个追我的女孩子叫其其格，是花儿的意思，好听吧，哈哈……不要嫉

妒我，这些都是有代价的——头可断，发型不能乱；血可流，皮鞋不能不擦油！我也不容易呀我~。~"

看了青格的留言，我发现自己居然在活动脸部肌肉，在起床后第一次有了笑容，而且还笑出了声音，只是想到朋友之间本应有难同当的，这可恶的家伙怎么能在自己连碗蛋炒饭都吃不上时，还埋怨吃多了羊肉长了4斤肥肉，这都不说了，居然还敢在我面前显摆有女孩子追，于是综合地想了想便给他回了话：

"青羊宫的来历是因为在古代时那儿是个交易羊的地方，后来为了纪念那些被买卖的羊就修了青羊宫；而杜甫草堂嘛，当然是纪念杜甫的了，但是为什么要叫草堂呢？其实是用了谐音的，本身应该是炒糖，原因是杜甫当初在此地用炒化了的糖写诗赚钱。"

消息发了出去，又觉得荒唐得连那个四肢发达的青格都有可能会识破，便又加了句："喂，本来我也不清楚的，但是为了你我专门去查了下资料，应该非常正确，你就放心讲给你的花儿听吧。"

想着这位羊肉吃多了的青格·巴雅尔同志在暑假结束后来到自己面前暴跳如雷的样子，我再一次笑出了声音。

可是笑，比起烦躁来讲是很容易就能过去的，接踵而来的就是一样的无聊透顶，无意识地就点开了QQ面版上的聊天室，看着铺天盖地的目录，随便选个四川028成都加入。其实我从来都不喜欢到聊天室来聊天，也不知道对着那些不知面目的人能说些什么，而现在觉得看着那些人天花乱坠地胡侃总比没任何事情做要好。自己也就想找个人来侃侃——

星期八：征聊~怔聊~

星期八这个网名是我在申请QQ那年就一直用着的，为什么叫

星期八，那是我觉着上帝当初创造完天地万物的时候一定忘了一件事情——他忘了人还需要专门用一天来发神经！

用星期八的网名在聊天室里对着所有人开始征聊，想看看到底是哪个人会回话，哪晓得自己的话刚发出去一秒钟就有人回话了。

所有人对星期八说：【提示】：★请勿在聊天室自言自语 谢谢合作★

看着自己频道的这个消息，我的眼珠子差点掉在脚上，聊天室里什么时候有这个规矩了？唉，后浪真比我们浪啊！

星期八：???

所有人对星期八说：【提示】：★请勿在聊天室自言自语 再次提醒★

星期八：怎么回事哦？我晕倒！:(

所有人对星期八说：【提示】：★系统将自动屏蔽你的发言★

星期八：天哪~~~这是遇到哪门子的怪事，谁来告诉我怎么会有个所有人啊??

所有人对星期八说：【提示】：★系统已经将你的发言屏蔽★

星期八：@!@ @~@ 要发疯了我今天

所有人对星期八说：【提示】：★有病★

星期八：啊？不是已经屏蔽发言了吗？怎么还能看见？我跳楼算了！

所有人对星期八说：哈哈……恭喜你已成为我今天调戏成功的第7位幸运笨猪，奖励就是对你说："你是笨猪冠军！"

看到这里，我才恍然大悟，知道自己是被人用了个"所有人"的昵称给戏弄了，顿时怒火中烧。

星期八对所有人说：你吃饱了撑着了没事干就去扫厕所嘛，在这里捣什么鬼？

所有人对星期八说：我吃没吃饱管你 P 事，扫厕所那种事不需要动脑筋，像你这样的笨猪冠军去最适合不过，到时候联合国还给你颁个"最有价值现代猪"的荣誉奖，多好呀，别浪费了你的才华！

星期八对所有人说：你妈没教好你呀，一张嘴全是臭气！

所有人对星期八说：你怎么知道我妈没教好我？你认识她老人家吗，就算你认识她她也未必记得你这个孙子。

我气得手都开始发抖，想着要是能把那家伙从电脑里拽出来爆了他的头解气就最好了，但是怎么可能呀，只能抠着脑袋想天下最恶毒的话还击，但是脑袋都要抓成鸡窝了，才勉强想出一句——

星期八对所有人说：认识，认识，不就是昨天来我们家收破烂儿的那个大妈嘛！

想着那个"所有人"看到这句话肯定是在那边气得砸键盘，自己就笑起来，哪晓得只十多秒居然又有了反应。

所有人对星期八说：是啊，我妈回来的时候气惨了，说是你妈妈太会坑人，卖给她的破烂连垃圾回收站都不要，今天早上就已经把破烂儿还给你妈妈了，连给她卖破烂儿的两毛钱都没要回来，说是算了，看着就为她伤心，怎么会有那种连回收价值都没有的破烂呢？

看着这一大段发言，觉得这个"所有人"定是给自己气昏了，说话都莫名其妙起来，但是也想着是什么破烂会让人倒给两毛钱也不要啊？

所有人对星期八说：不说话，不反击，是不是在想那是什么破烂啊？

星期八对所有人说：是什么？

所有人对星期八说：明年的笨猪冠军也一定是你了，现在告诉你，那破烂就是你，要不然你怎么会继续待在电脑面前上网啊，要是回收站要你的话，你该是在垃圾堆里的，哈哈……我的肚子，555 笑得好疼呀~~~

看过这句话，我气得肺都要爆炸了，唯一想做的就是砸烂那个"所有人"的头，我也确实砸了，只不过一拳砸在自己的键盘上——

"妈呀——完了，我的键盘！"

键盘已经失灵就证明我被这烂人气得有多厉害，却还看见屏幕上那个狂妄嚣张的人在继续说话——

所有人对星期八说：怎么啦？说不过啦？歇菜啦？

所有人对星期八说：算啦，不服也不用去跳楼，只要心平气和地对我唱首《征服》，我连后年的笨猪冠军也给你！

"气死我了，气死我了……"

扯下键盘往地上摔个稀巴烂就往外跑，想赶紧买个新的回来好好教训那个要我唱《征服》的家伙，却在卖电脑配件的店子里听见正在播放的音乐——来自那英小姐的《征服》。而且，那个把键盘递给我的中年妇女也正在哼——"就这样被你征服，喝下你藏好的毒……"

看着我一双牛眼瞪着她，那中年妇女大概以为我是在看她脸上的皱纹，用手摸了摸额头很不自然地说："看什么看，三十五块钱。"

"一大把年纪唱什么不好，唱征服，不会唱东方红就唱三大纪律八项注意嘛！"

丢下钱拔腿就跑，听见那人在后面骂道："你个小兔崽子，跑那么快撞死你哦！"

所以说不要过分，任何事情都是有报应的，早报迟报都是会来的，只是我的报应似乎来得比那中年妇女说得还快——

"哎哟喂呀……谁呀？这么没公德心，大街上不扔钱你扔香蕉皮——"

回到家时，爸妈已经从服装批发城回来了，两人都很疲惫的样子，妈妈在算账，老爸在洗澡准备睡觉了。

"小含，我给你带了盒饭回来,知道你肯定不会做饭的,快吃吧！"

妈妈一边摁着计算器一边对她的宝贝儿子说话，连眼睛都不抬一下。

"哦！"

应了一声就钻进屋里去接键盘，在对"所有人"说了句"看是谁来征服谁！"却再也没了回应，这才查看对话框——只剩下真正的所有人了。

郁闷之极，却听见老爸在洗澡间叫："我的拖鞋跑哪里去了？"

这才赶紧跑过去，把脚上的拖鞋甩给他，自己从鞋架上翻了老妈的高跟凉鞋顶着："妈，我拖鞋不见了，明天带几双回来！"

"你拖鞋穿在脚上都不见了？"

"我咋晓得？昨天晚上睡觉的时候还在的，起来就不见了。"

"哪天起来你发现自己也不见了才好耍呢，快吃饭，中午吃的

什么？"

"中午啊，蛋炒饭的焦味。"

"嗯？这个话好像不通哦。"

"本来就是只闻了一下味道而已。"

"哦豁！算到哪里了哟？不跟你说话了，账都算错了。"

我瘪了下嘴便端起盒饭吃起来，花脸在一边谄媚地叫着"妈哦——妈哦——"

"算你狠，啥子事都只晓得喊妈，来来来，给你分点儿！"

依然无事可做，不对，应该是找不到自己想做的事情，但是我也知道这时候该摆几本书在桌上对付一下老爸老妈的眼睛，其实也不用摆书，只把自己摆在那里就可以了——那些书从暑假一开始就那样躺在书桌上开始了它们漫长的休假，而且那本化学书翻开的页数到现在依然还是 29，我自己早就发现了，也想过要另翻一篇免得大人们怀疑，但是心里想着不会被发现的几率远远超过了被发现的可能性，于是连那吃一粒米的劲也干脆省掉！

愣在那里回想那可恶的所有人，后悔自己冲动地砸坏键盘，没能跟他斗到底，但是反过来一想，就算是键盘没坏，自己能斗得过他吗？那家伙的反应太快了，骂起人来也是够狠的，多半是个搞恶作剧的老手……

"小含——"

正当我在桌前装样看书，却实际发呆时，老爸走了进来。

"爸——"

"在用功哪，呵呵，身上钱用完没有？来，再给你拿两百。"

谁恋爱谁孤单

"用是没用完，但是多多益善，以防万一！"

"还是要节省哦，该花才花，哎呀，累死了，我去休息了，你也早点睡！"

"嗯！"

看着老爸疲惫的样子，有点说不出的感觉，一年 365 天，父母却有 360 天都在忙碌，想着想着就把化学书翻了一页——却继续发呆，不知道为什么，那个让我唱《征服》的所有人老是出现在脑子里，可能是人家的伶俐让我知道了自己的愚笨吧——只是这红花衬出绿叶的滋味好像太那个什么什么的了。

也许是气愤过度，本来中午才起床，这时候却有了睡意，只是在有了睡意的时候还在气——居然敢说我是倒贴两毛钱都没人要的破烂，遇见你就把你的头砸出脑浆来！

"哎哟喂咿呀，拖鞋咋个在铺盖里哟？"

（二）卫冕"冠军" · · · · · · ·

重复完头一天的故事，最后我依然选择了无聊中的有聊——莫名其妙地钻进聊天室，依然选择了四川 028 成都，但是这时候发现自己突然聪明起来，想学着昨天那个"所有人"捉弄自己的办法去捉弄一下别人，这怎么说呢，反正是自己受的气，没机会还给给我气受的人，那总得要发泄出去吧！于是便把昵称改成所有人，在聊天室里等着鱼儿上钩，自己想着那些人在电脑面前一副掉眼珠子的模样就笑起来——

终于看见有个刚进来的叫小鱼儿的说话了，而且我也惊奇地发现，原来把昵称换成所有人后，那些对真的所有人说话的发言也可

以在自己的频道里显示。

小鱼儿：有哪位 GG 陪小鱼儿说会儿话？

所有人对小鱼儿说：【提示】：★请勿在聊天室自言自语　谢谢合作★

小鱼儿：？

看着屏幕上的这个问号，我在电脑面前都笑出了声，正准备继续调戏人家的时候才猛地发现屏幕上显示为——

【提示】：★请不要在聊天室恶作剧★

于是，自己的眼珠子和那个叫小鱼儿的一起往下掉！这是怎么回事？

所有人：？？？

小鱼儿：？？？？？？

看见没有了系统提示出现，我又大着胆子开始戏弄小鱼儿——

所有人对小鱼儿说：【提示】：★请勿在聊天室自言自语　再次提醒★

小鱼儿：搞什么哟？怎么会有所有人对我说话~。。。~

看着这个笨蛋小鱼儿的话，我的脸上马上挂起得意的笑，只是还没挂稳——

【提示】：★本聊天室将对恶作剧的人屏闭 30 分钟★

"啊？搞什么哟，这个什么鬼聊天室。"郁闷了几分钟，这才想起昨天的教训，马上去查看左边所有在聊天室里的人的资料，果然发现了个昵称叫"【提示】"的——

所有人对【提示】说：你以为我不知道你搞什么鬼呀，这一招我在有聊天室那天就用过了！

【提示】对所有人说：算了吧你，现在都还在用"所有人"调戏无知少女，还说用过【提示】这种高级骗术，切，一边凉快去！

所有人对【提示】说：你哪里来的破烂儿？这么嚣张！

【提示】对所有人说：我说你这人怎么这样啊，什么叫破烂啊，这样骂别人，你妈没对你说过做人要厚道呀？

心中暗笑，居然可以把昨天学到的骂人方法用上了——

所有人对【提示】说：你怎么知道我妈没教我？你认识她老人家吗？就算你认识她她也未必记得你这个孙子。

【提示】对所有人说：认识，不就是昨天来我们家捡垃圾的太婆吗？哈哈！

"这是你自己送上门来的，别怪我了！"笑得脸都开了花，迫不及待地就把昨天那个"所有人"的话用来骂这个不知天高地厚的【提示】。

所有人对【提示】说：是啊，我妈捡垃圾回来时肺都气炸了，说是你们家的垃圾连垃圾回收站都不要，今天早上就已经把垃圾给你妈妈送回去了，连给她卖垃圾的两毛钱都没要回来，说是算了，看着就为她伤心，怎么会有那种连回收价值都没有的垃圾呢？

"哈哈哈哈……"把话发出去就开始大笑起来，想着那人肯定是要像自己昨天一样纳闷是什么垃圾倒贴两毛钱都没人要——

【提示】对所有人说：所以说呀，你妈妈怎么会教你做人要厚道的道理呢，连她自己都不厚道，到别人家捡了垃圾，不要就算了，还跑回去羞辱人家，居然还用两毛钱去砸人家，这世道呀，啧啧！

"我晕，他原来说是捡垃圾不是收破烂的。居然还用'厚道'

来倒打我一耙！"瘪着嘴思考怎么才能扳回局面，可能考虑的时间太长了，那个人居然又说话了。

【提示】对所有人说：怎么啦？说不过啦？歇菜啦？

觉得这话怎么这么熟悉呀，好像在哪里听过一样！

【提示】对所有人说：没关系的，你不厚道做人，我也不希望你去跳楼，只要心平气和地对我唱首《征服》，我连大后年的笨猪冠军也给你！

啊……这次真的把眼珠子都搁在脚背上了，"怎么会是这个人，真是冤家路窄呀！"

所有人对【提示】说：居然是你，真是见鬼了我！

【提示】对所有人说：昨天教你一招，今天就用上了，学费都还没给我，就骂我，你就这么尊师重教呀？

所有人对【提示】说：去你的，没把你头打爆就算我仁慈了，还学费？还尊师重教？

【提示】对所有人说：呵呵……小伙子，火气不要太旺了，天气本来就够热，你再来点温度，我怕你家要发生火灾哦！

所有人对【提示】说：你小子也别成天装鬼了，免得真鬼缠身。

【提示】对所有人说：你怎么睁着眼睛说瞎话呀，什么小子小子的，你师傅我可是和你妈妈一个性别的。

我这才想起去看看这个连着捉弄自己两次的家伙的资料——晕，资料里居然是个 17 岁的小丫头片子，网名还挺好听——悄然自醉，而且那段资料里的个人说明还让自己很喜欢——

风来了，带走我身上的尘土留下了我，我干净了却不高兴了，不高兴为什么风带走的不是我而留下的不是尘土！谁会愿意留在这

谁
恋
爱
谁
孤
单

孤单的地方？

这可跟自己幻想中的那个肥头大耳朵、满脸横肉的浑小子相去甚远呀！想着是个看来很有才气的姑娘家，便立即客气了些许——

所有人对【提示】说：早知道你是个MM就不跟你计较那么多了。

【提示】对所有人说：我怕你是计较不过吧GG：)!!!

所有人对【提示】说：……

【提示】对所有人说：这些"……"代表什么？承认自己是笨猪冠军啦？

所有人对【提示】说：你不是说做人要厚道吗，知道了就不要咄咄逼人嘛。

【提示】对所有人说：呵呵，不过你也确实有笨的天分，不是我提醒你，你连捉弄自己人的资料都不会去看看。

所有人对【提示】说：那你的意思是说今天我一出现你就知道是我了。

【提示】对所有人说：那当然，好啦，家里又开始吵架了，真是莫名其妙，我要蒙着被子睡觉了，拜拜，笨猪冠军。

刚想让她等等却发现她的名字已经从对话框里消失了，幸好刚才查看资料的面版还没有关掉，这才没有让刚涌上来的失落情绪继续下去，赶紧就加她为好友，在验证栏里写的是："卫冕冠军"。

很久都没有通过验证的回音，大概已经下线了，于是想起了她最后说的话，什么家里吵架，要蒙头睡觉——唉，这个可恶的所有人！

有种感觉，自己觉得很糟糕——难道自己犯贱？怎么像是被那小丫头虐待上瘾了，竟然有点想念在聊天室里的感觉！难道真是"被同性虐待遭罪，被异性虐待沉醉"。

第二天，我早早跑到聊天室里候着，以为又会发现那个恶作剧的家伙有新花样，却是枉然，她根本就没出现，第三天第四天……她也一直没有踪影，而且我的那个要求加为好友的请求，她也一直都没通过验证，于是被这个悄然自醉激起点火花的日子又开始平静在我一个人的莫名其妙中。

但是我却因为确实无聊透顶，依然每天都挂着QQ，机器一样地玩着游戏，机器一样吃着饭，机器一样地想想回老家的兰楠和远在内蒙的青格，也机器一样地准时虐待花脸。

这天下午，正在我无聊之极时，青格·巴雅尔同志却从遥远的内蒙古草原通过新时代的QQ，用他自认为最帅最炫最能凸显他风格的网名——"帅得你喷血"发来消息问候我——

帅得你喷血：死猪，你还敢上线！

星期八：叫我笨猪！还有，你妈没教你做人要厚道呀。T_T

帅得你喷血：我老妈是说过对人要厚道的，但是对猪就不必了，哼，你说说你都做了什么好事？

星期八：好事？扔颗炸弹炸死非典，甩支飞标干掉禽流感，用个弹弓打爆地中海贫血的脑袋，再用塑料口袋装点水到月球去……这些都在我的日程安排中，唯一完成的也就只有那天帮你解释了成都的名胜古迹，不要夸奖我。^_^

帅得你喷血：你个死小子，还好意思提，你晓得不，我的其其格听了我给她解释的"青羊宫"和"杜甫草堂"的来历时对我说了什么吗?

星期八:她一定说,哎呀我的青格哥哥,你真是有才学的男人,以后我不叫你青格了,我要叫你情哥!

帅得你喷血:还情哥呢,她只是用鼻子对我说了声"哼"就跑去跟我那个在西安上大学的表哥勾搭上了,还对他说的什么青羊宫里有只铜羊包含了十二生肖的所有动物特性信之不疑,羊就是羊嘛,还能变成十二种动物?!真是无知少女,容易上当!

星期八:同意同意,我觉得还是说是卖羊的地方更说得通。

帅得你喷血:一想到她在我表哥面前那副崇拜的样子我就恼气,他有什么了不起呀,其其格问他兵马俑是什么做的的时候我就看出来了,是个连我都不如的新一代文盲!你猜都猜不到他说制作兵马俑的原料是什么。

星期八:?

帅得你喷血:嘿,他说是泥巴烧成的陶,我晕,泥巴能保存那么久?根本就是铁的嘛!

星期八:@~@,佩服佩服,他怎么能跟你比呀,新一代文盲的前三名他都甭想跟你抢。

帅得你喷血:那是那是。

帅得你喷血:哎,我说你小子什么意思呀?

星期八:呵呵,我说错了,应该是前三名你都抢不过他好了吧。

帅得你喷血:反正你就等着我回来收拾你就好了,为了报复你对我的摧残,我决定吃了本来要给你带回去的羊腿,多长点力气,好一拳爆了你的头。

星期八:你这家伙不会真为了个女人跟你哥们儿翻脸吧?要爆

我也让我吃了羊腿先呀！

帅得你喷血：我知道，我知道，朋友如手足，女人如衣服，这道理我青格·巴雅尔怎么能不清楚，我们俩谁跟谁呀？

星期八：就知道你明事理，呵呵，顺便带点马奶酒。

帅得你喷血：但是这道理我现在才突然弄了个透彻——断手断脚的见多了，就没看见谁不穿衣服。哈哈，等着瞧吧哥们儿！

星期八：你个重色轻友的烂蛮子，跟你绝交。

正当和青格闹得难分难解时，我突然发现自己的消息在不停闪动，点开一看，兴奋得差点当场晕厥，为啥？——那个等了几天的虐待过自己的人终于通过了我加入好友的请求，谁说青格的话不是真理呀，QQ上出现了悄然自醉的头像后，我就立即发了条消息给内蒙的青格。

星期八：为了穿衣服，我自断手脚，有多远你给我滚多远！

帅得你喷血：NND，老子现在也自断手脚，我的传奇MM正好上线，我要带她升级，你也给我滚！

所谓物以类聚，事实证明我们俩活宝天生该是碰到一块儿的，我连话都懒得给青格回，就急着要在虐待过自己的悄然自醉面前开始大献殷勤——

（三）我为衣服断手足 • • • • • •

想着这是个极度危险的MM，我在给她发消息前详细地考虑了一番，想找个好点的开场白让她对我刮目相看，但是想来想去，又没什么好招，而且万一用得不好，对这样一个高智商的反而弄巧成拙，最后反过来一想却豁然开朗——女孩子再怎么刁钻野蛮都是敌

不过"真诚"与"温柔"的陷阱，听到恭维的话嘴上不管架着几把大刀，心里却是欣喜若狂，嘿嘿，这些东西青格很有经验，他常对我说在网上你只管闭着眼睛说瞎话，昧着良心拍马屁。还有就是要坚持他的"真善美"原则，何谓真善美原则？

那个新世纪文盲如是说：真不真，面对电脑眼不睁；善不善，骂人名言靠边站；美不美，全凭那张说谎的嘴。等到满山花开时，卸下沉重的羊皮——这世界真——是——美！

说是这么说，想也这么想，但是本人觉得自己不但抢不了青格的文盲头衔，连他这个"厚颜无耻"的名号也望尘莫及呀，倒不是认为自己乃一正经儿童，只不过嘛，比那文盲有自知之明，也没他那么不要脸，他是谁呀，头断了也要保持发型，血流干了也绝对不忘给皮鞋上油的现代喷血帅哥，还经常用他的"真善美"原则换来五言绝句——咱们拜拜了！

比不过，哀哉！于是，我最终决定还是切换成最正常的聊天模式——

星期八：我连着两天都在 028 成都里找你，你跑哪里去玩了？

悄然自醉：跑哪儿去？跟着我妈去收破烂儿呀！

星期八：……

悄然自醉：找我干什么？没被虐够啊？

星期八：呵呵，的确有点被虐上瘾的感觉~。~

悄然自醉：原来你有这种潜在的嗜好，哎，你得感谢我帮你挖掘出来了。

星期八：……

悄然自醉：你今天是不是也想被虐呀，来吧，我找个地方虐虐你。

星期八：什么地方？

悄然自醉：泡泡堂~。

星期八：天，你喜欢玩那种低智商的小娃娃游戏？

悄然自醉：低智商？这是你说的，有种你今天别来，来了我就让你有自残手脚的心！

看着这话，我有点脸红，心想，自己刚刚才为了穿她这件衣服断过一次手脚了，想了想青格·巴雅尔同志，觉得他太惨了，以后不知道还要被自己砍断多少回——谁叫我方啸含就你这一副手脚呢？

星期八：有什么不敢来的，我可是游戏高手，就算我没怎么玩过泡泡，练习一两盘，就能杀人于无形，你在几区，我申请个号就来。

悄然自醉：唉，牛也真可怜，猪都可以来吹，三区，紫水晶13号房。

一听打泡泡堂就叫我发晕，原来也玩过一段时间这个自己口中的低智商游戏，只是一点也找不到在传奇和 CS 里的风光感觉，也没有 MM 跟着我转，所以才将它打入冷宫，这会儿却为了跟着个刁蛮 MM 转急着把它从冷宫里拎出来，也还不知道自己是死是活了，因为听那丫头的口气好像她打泡泡很有点造诣，但是反着一想，紫水晶那不是在初级里吗，大概也就是个跟自己一样能把牛都吹死的同类——

结果，嘿嘿，就如我所预料的一样，那个在聊天室里飞扬跋扈

的"所有人"同志在泡泡里也是一被虐的份儿，我甚至怀疑她到底会不会这个简单的游戏，属于她的那个人物连走路都不会！但是越被虐越打得有精神，越被踩得扁越不跟人搭伙，一个人杀得个乌烟瘴气，多半都是在没出门之前被人家用"手套"打来的飞天球给消灭，这都无可厚非，但是往往会拿几个泡泡把自己包围起来自行囚禁，这就只能让我不断地给她冒问号，也在电脑前笑得接不上气，她倒不以为然，说这是热身运动，等下要我好看。

　　而我是谁呀，天下就没有我搞不转的游戏，不就几颗泡泡吗？毕竟原来也打过一段时间，此时也想着要在欺负过自己的人面前摆摆威风，便全神贯注于厮杀中，总算打出几个"优秀"来，所谓树大招风，不只在现实里司空见惯，在这个小小的游戏中也是如此，一个名字叫"泡泡拽神"的在被虐了几盘后，开始口出狂言，一堆一堆没素质的问候"妈妈"的脏话就给我压过来，很是郁闷，本也想像从前一样连带"祖宗"一起给他问候回去，但是苦于有悄然在，怕这个骂死人不见一个脏字的丫头看见自己跟 N 多人一样出口成"脏"，可能又要遭她言语之虐，而且自己有可能在断了手脚之后，连衣服也穿不上——岂不是哀哉？

　　所以只能憋着气不回应，哪晓得这样一来那个"泡泡拽神"不但不收敛，反而愈加肆无忌惮，在一回合里消灭了我就说："垃圾，就是这样炼成的！"在另一回合中被我消灭的时候却说："没想到会被个弱智搞死，老天还是比较同情弱者的！"在打成平局的时候会说："跟弱智一起活着，我不如死了算了！"

　　反正那人也挺牛，怎么都有说的，自己说不下去了，就开始问候别人爹娘老子的，气得我差点又要砸键盘，这时悄然自醉倒是说话了——

"哎，我觉得泡泡拽神太厉害了！"

"……"这是什么意思呀，居然称赞那个没素质的家伙。

"不是吗？你看人家多拽呀——是吧泡泡拽神？"

那个叫泡泡拽神的一看见有 MM 搭讪，立即高兴起来："谢谢捧场！"

"我一看你就是功夫一流的剑客，佩服佩服！"

"……"更不乐意了，居然去帮别人说话！

"呵呵，不要太夸奖我了。"拽神乐在其中。

"我不是在恭维你，你看，中国那么多兵器你不学~你学了最厉害的剑~铜剑铁剑你不学~你学了最寒气逼人的银剑~那么多招式你不学~你要学姿势优美的醉剑~终于你练成了天下无双的醉银剑，怎么不叫人叹服？"

悄然一口气打出这段在传奇里非常经典的"鹿骂"，在等着大家反应的空当儿又说："星期八，我撤了，我对这里的幼儿教育非常失望，都是谁教得这些小屁孩儿顶着锅盖学人家东方不败的？呜呼哀哉~ 。。 ~"

说完，悄然就退出了 13 号房间，而这时那位练剑高手才反应过来那一长段话是在骂自己，便气愤难当，无奈那个骂了自己的人已经闪了，只说："MD，有种骂了你就别走呀，装什么酷，装什么深沉，敢留下来，我就吐给你看！·#！·！~1·#—＊"

我也是此刻才反应过来悄然自醉是在帮自己教训那个烂人，心情好了许多，同时也觉得自己的确是该对她唱《征服》的，瞧她那骂人的本领，啧啧，叹服呀！本来想趁她不在，把刚才那人的问候

语加倍奉还的，却在打出消息准备敲回车键那一刻迟疑了，想了一想就将那些不堪入目的话全部删除，换作："做人，请懂得厚道！她不是骂不过你，她是觉得你骂人的水平还在幼儿阶段，你也别吐了，苦胆吐出来，她还是酷~~加油发育，拜拜!"

说了话，也赶紧就退出游戏，在 QQ 上找到悄然自醉——

星期八：谢谢你了:)!!

悄然自醉：8谢，对付那种人是不用客气的~那么恶心的人不知道你怎么能忍受~连我都看不下去了。

星期八：我也气呀，都气得跳脚了，但是我就是骂不出像他那么恶心的话!

说这话的时候，自己都觉得恶心吧唧的，我会骂不出？若不是有你老人家在场，恐怕气得跳脚的人该是那个"拽神"才对。

悄然自醉：在网上骂人的很多，什么话都见过，但是我就是不明白那有什么意思，上次我在"对联雅座"跟个人抬杠，那人讲不过我，便恼羞成怒，说了句"我真想往你脸上吐泡狗屎"，我还有什么语言?

看这条消息的时候我正在喝水，看到最后就忍不住一大口水喷在了键盘上，也立即回想自己有没有犯过如此低级的错误。

和悄然自醉聊天很轻松，当我把那次与她聊天时砸坏键盘的事情讲给她听时，她很是惊讶自己的功力，但是转而又说那是因为我太沉不住气，太把网上的话当回事了，想想也确实是自己小题大做太过认真，但是以前在聊天室碰上谁也没让我气成这模样啊，心中觉得主要原因还是她太恶毒，但是怎敢说出口，我还心疼才买回来

的键盘呢。

　　于是把话题赶紧拉到安全边界里，只说起她那段留在 QQ 资料里关于什么孤单不孤单的话，问她怎么理解孤单？

　　悄然自醉：孤单，谁知道什么是孤单呢？大概就像这样对着电脑讨论孤单吧。

　　星期八：对了，我叫方啸含，我的朋友叫我啸！

　　悄然自醉：还不如叫笑呢，玩笑！

　　真不知道她这话是在讽刺我还是别的什么，不能跟她抬杠只好转了大弯。

　　星期八：我看到你的 IP 是乐山的？从成都到乐山好像只有两个小时的路程吧！

　　悄然自醉：是又怎么样？在网上的距离都是一样的，不管你在非洲还是我隔壁，反正我对着的就是面前的电脑，电脑那头是青蛙还是跳蚤谁管呢！

　　星期八：……

　　和悄然自醉在 QQ 里天南地北地侃大山，我终于在暑假里，头一回感觉时间过得飞快，而花脸也头一天没被虐，我回头看见它正不习惯地在门框上蹭痒——想是没人给它活动筋骨，觉着不舒坦吧！

（四）孤单了记得Q我

　　风来了，带走我身上的尘土留下了我，我干净了却不高兴了，不高兴为什么风带走的不是我，而留下的不是尘土！谁会愿意留在这孤单的地方？

在网上认识悄然有半个多月了，总感觉这个比自己小一岁的女孩子嘴巴虽然厉害，脾气也稍显刁蛮，但却从聊天中感觉到她骨子里带着一种忧郁，又说不出来为什么忧郁，而且她的语言也从来都是很幽默的，就是有种直觉，觉得这个女孩子有很多心事，有很多隐藏在"呵呵，哈哈，嘻嘻"后的看不见的表情，就像她在 QQ 资料里写的那段关于孤单的话，她孤单吗？为什么孤单呢？

而我也不知道为什么现在的自己不会在打开电脑的时候就去打游戏，而是首先就打开 QQ 看看那个裹着红头巾的属于'悄然自醉'的头像是不是在闪动，要是动了，就会很高兴地带着笑容点开来看，要是没动，就会有点失落，并在第一时间给她发去问候——

已经是第 5 天了，"悄然自醉"的头像已经连着 5 天都没有闪动过了，我开着 QQ 没有心情打游戏，都中午了，花脸围在脚下委屈地叫着"妈哦——妈哦——"提醒着我是该吃饭了，便跑去把昨天晚上妈妈带回来的粉蒸肉热了热，分了几块给花脸，自己也跟着它蹲在它的小食盆前吃着自己的饭，边吃还边说："你说她是怎么了？是不是病了，是不是家里被打劫了，还是她叔叔身体不好去看叔叔了？她曾经提到过有个喜欢的叔叔，也说他身体不好来着，再不然又是家里吵架了，就没心情上网了？"

花脸只顾着吃那两片可口的粉蒸肉，完全不理会，直到把小盆子舔得干干净净才又对着我叫了声"妈哦——"

"滚你的，就晓得吃！"

站起来就一脚踹得花脸找不到北，又把碗里的剩饭全倒进了它的小盆子里，不知道为什么，自己竟然空着肚子却吃不下。

这时候门铃响起来，以为是收电费的——因为一般是不会有人

来家里的，便吼了声："晚上再来，我们老板不在家，没钱！"

"死猪啊你，还不快点开门，我手都要断了。"

一听声音居然是青格那头猩猩，打开门一看，自己也吓一跳，那家伙扛着一大包东西站在门口。

"你都回来了呀，我还以为你喝马奶酒醉死在内蒙了呢！"

"你倒是想我死！死了就没人找你算账了，为着你对青羊宫和杜甫草堂的解释，我死也要打爆你的头才能死，嘿嘿，接招——"

说着就把手里的大口袋砸在我头上。

"哎哟喂呀——什么东西这么硬？"

"虽然你不仁，但是我青格·巴雅尔不能不义，这只肥羊腿是我专门叫奶奶风干了带回来孝敬叔叔和阿姨的，你小子最好别吃。"

"哈哈，还真给我带了马奶酒呀？还是你最好了，告诉你吧，我决定今天去动手术把你这副好手脚重新接上。"

"真对你没语言了，这酒真的不错，是我奶奶自己做的，我带了三瓶，我们两个先来喝点吧，给叔叔留一瓶就够了。"说话里就递了一瓶给我。

"正有此意，来！"拧开盖子便往嘴里灌了一大口："咳咳咳——我的妈呀，这什么味道哦！"

"哈哈……"

青格一个人笑得没了着落："你个死猪，害我到手的其其格飞到别人那里去，不整整你，我能顺心？"

"你到底给我喝得是啥东西？这种味道，该不是敌敌畏吧？"

"我算对得起你了，全是能喝的——可乐，啤酒，茶水，牛奶，味精，醋，酱油，辣椒油，还有点止咳糖浆，味道不错吧，我青格

头可断，发型不能乱；血可流，皮鞋不能不擦油！

青格·巴雅尔

独创的饮料。"

"你简直就不是人，这么损哪！"

"损？幸亏我没找到，我本来还想加点墨水呢，反正你这家伙肚子里就墨水少。"

"是，我墨水少，我起码没问过谁青羊宫的来历，也知道兵马俑不是铁做的，抢不了你新时代文盲的头衔呀。"

"死小子，我可告诉你，以后可别在 MM 面前提这事情，要不然真不给你喝马奶酒了。"

"拿来吧你，就知道你会好心弄这么大只羊腿和几瓶马奶酒来堵我嘴的。"

一把抢过青格手里的酒在鼻子下闻了闻才小心翼翼地喝了一口，味道好极了。

"喂，我是来跟你说，大家准备在开学前聚一聚，说好了去植物园后面的草地烧烤，你也在家闷太久了，一起去玩吧。"

"没兴趣！"

"没兴趣？那我只好一个人去做兰楠的护花使者了。"

"兰楠也回来啦？"

"再一个星期就开学了是该回来了嘛，我今天早上给她打电话她很爽快地答应了一起去玩。"

"那就去吧，反正闲着也是闲着。"

"切，什么人？"

说起兰楠，这可是我们学校的一枝花呀，两只眼睛水灵灵的，笑起来有两个好看的酒窝，走起路来温温柔柔像是怕踩死蚂蚁，虽然众多男生对她虎视眈眈，却都没有勇气敢靠近——她是谁呀？全

校的尖子生，省里市里的三好生，文章在全国中学生作文大赛都拿过奖，是学校里的"熊猫"、老师的重点保护对象，一群登徒子哪个敢去招惹呀？都只能远远地盯着流口水，哦，忘了说，我与青格也是排着队流口水中的两员忠诚大将。

但是话说回来，我和青格也就是闹着好玩的，和兰楠那是死党关系，只是偶尔开开她的小玩笑罢了，遇见青蛙以及其兄弟癞蛤蟆来找她麻烦时就挺身而出，做她的坚强后盾。只是兰楠那家伙也烦人，啰唆得像个大妈一样，我和青格跟别人打架，她不帮我们擦药反而对我们实施精神虐待，往往我们的伤都好了，她教训我们的话还没讲完，可千万别反驳她，那她的话可能就得讲到我们第二次伤愈为止，这就是温柔女生的厉害之处——她骂了你，你还得担心她会因口水殆尽而亡！

天气闷热，青格霸占了我的电脑打 CS，我便跑去冲个凉，等我出来的时候，却发现青格在电脑前笑得鬼头鬼脑，过去一看，我的眼珠子都要掉出来了，怎么着？那家伙居然在我的 QQ 上和悄然聊天，一看他们的聊天记录我就知道自己完了——

悄然自醉：最近过得怎么样？

星期八：怎么样？嘿嘿，断了手脚，到处找漂亮衣服呗。

悄然自醉：何解？

星期八：何解是谁？

悄然自醉：才几天不见，你的智商陡然下降呀，我是问你什么意思。

星期八：我还以为何解是个人，：）~！什么意思？你没听过

这句话吗，朋友如手足，女人如衣服~~

悄然自醉：那请问阁下断了多少手脚，寻得多少衣服呀？

星期八：唉，我那可怜的青格·巴雅尔兄弟，在我穿衣历史上作出了不可磨灭的贡献，现在想起来真是非常对不起他，至于衣服问题嘛，嘿嘿，不知道你算不算一件！

悄然自醉：开玩笑还是当真？

星期八：为什么是玩笑，我做事情可认真了！

悄然自醉：那我只好认真地告诉你，你的剑术还真比那个泡泡拽神还高明。

星期八：呵呵，夸奖了不是？

悄然自醉：你就继续练习吧，我不奉陪了。

……

天哪，什么是交友不慎，什么是交友不慎哪！

在我一脸愤怒地瞪着那黑猩猩时，他还厚颜无耻地说："看我是怎么帮你泡 MM 的，学着点真善美原则。"

对这种人我已经无话可说，一脚将他踢到旁边，想给悄然解释一下，哪晓得她的头像在这一刻却变成了黑色——下线去了，这更让我郁闷之极，想着好几天都没见着她，好不容易露个面又让青格这大猩猩给搅和了，我这个气呀！

"不是吧，不就一件看不见的网络衣服吗，何必这样一副脸色对待你兄弟我呀？"青格看我十个手指头集体下跪想要收拾他，很是委屈地对我说。

"什么衣服不衣服的，悄然可不一般，她可是我唯一一个网友呀，就这么被你给气跑了。"

"我哪有气她，不是说得好好的嘛，她还夸奖我什么剑术高明呢！"

青格本来也是在学校武术队学过剑的，但是听他这么说，我想着悄然口中的"醉银剑"实在是有点忍不住想笑："你没玩过传奇呀，土包子，她口中的剑术就是传奇中的鹿骂，笨蛋！"

"我倒！原来是在骂我呢，哦，不对，应该是在骂你，哈哈，我可用的是你的QQ呀。"

"还笑得出来，那家伙损人的话可厉害了……"

于是，我把在聊天室里结识悄然的前前后后讲给青格听，那家伙也笑得不行，说是我碰见了克星！

和青格去外面吃了点东西他便回家去了，走的时候一再提醒我准备多点银子筹办聚会，他就那副臭样——经常剥削同胞的血汗去MM面前现殷勤，唉，活该了我也是他穿衣故事中要作贡献的倒霉手脚！

回到家，我赶紧跑去给悄然发消息，那家伙肯定正在犹豫是不是要把我这个厚颜无耻的人踢到黑名单中呢，已经踢了也不一定。

星期八：不好意思，悄然，不管你相不相信，我都得告诉你，先前和你聊天的人并不是我，是我的好朋友青格·巴雅尔在跟你开玩笑，我当时去洗澡了。

悄然自醉：随便吧，都无所谓。

星期八：啊？你在线啊，隐身做什么，不想和我说话？

悄然自醉：随便随便。

星期八：听你的口气，你若不是在生我的气，那就是心情不好，怎么了？

悄然自醉：没什么的，有点莫名其妙。

星期八：这么多天都没见到你，今天一出现，结果又让青格把你得罪了，真是郁闷呀！

悄然自醉：其实我感觉到先前和我聊天的人不是你了，说话的方式完全不一样，人的性格是天生的，说什么话，做什么事，有什么习惯都很难改变，但是我也没生气，有什么值得生气的？

星期八：好了，不说这个了，但是感觉你的情绪真是不太好，你今天一个"呵呵"都没有，说出来吧，虽然我是帮不了你什么，但是说出来松口气也好呀？

悄然自醉：谢谢你，啸，但是我真不想说什么，有些事情是需要自己过滤的。

看着悄然很亲切地叫我啸，心里感觉挺甜的，虽然，青格那家伙也是这样叫我，但是这感觉怎么差了这么多呢？

星期八：那我不勉强你了，反正什么事情都想开点，过几天就开学了，你该是念高二了吧？

悄然自醉：嗯，这学期就是高二了，你呢？

星期八：我比你大一岁，当然是高三了！

悄然自醉：那你还成天打游戏，没准备念大学呀？

星期八：看书看不进去，其实打游戏也没瘾，就是不知道自己到底想做什么。

悄然自醉：那就是说你根本就还没目标，没想过将来～

星期八：将来？

悄然自醉：有句话是这么说的——你的现在不活在将来，那么你的将来一定活在过去。

星期八：???

悄然自醉：自己过滤吧，这日子说慢就慢，说快还真像在飞！

星期八：悄然，你到底有多大？我怎么感觉你比我成熟得多呢？

悄然自醉：成熟与不成熟就像对与错一样，不可解释，谁都没有绝对的对和绝对的错，成熟与否也是如此。

星期八：这句话我也会过滤的:)

悄然自醉：这些话我之所以会说，那是因为我自己做不到也想不通，就说说罢了，我问你个问题，你觉得什么样的女孩子是最好的？

什么样的女孩子是最好的？这个问题可真是难住了我，我的朋友就两个，女孩子当然就是楠楠了，她应该算是很优秀了吧，长得很漂亮，对人也好，成绩也好，于是我便把在电脑里存的我们三人的照片发给悄然看，告诉她照片上的楠楠是我唯一一个走得近的女生。照片发过去之后悄然显然是看了很久，我想看到楠楠那么乖巧的女生，不管是男生还是女生都是要多看一会儿的，何况那照片上还有两个帅哥呢，呵呵！同时我也在想，不知道她能不能看出照片上哪个人是我，会不会觉得我还挺不错？然而等了十几分钟的结果，却让我大失所望——悄然只是对楠楠发表了评论:她该是你们学校的校花吧，你们是哪个学校的呀？我以后也到你们学校来看看花！

悄然和我只聊了一会儿就说有点累去休息了，但是我觉得她似乎真的碰到了很难过的事情，因为她最后提到两个词——寂寞和孤单！她说人都不该寂寞的，因为只要活着就始终是三人同行的，一个自我，一个本我，一个超我！而孤单却常常在，但是也有两种情况，一种是好的感觉——可以一个人过滤那些想不通的问题，另一

种就是空白——做不了任何事，看不到任何光线，听不到任何声音，只能歇斯底里！

而这时候，我才明白自己长时期以来的感觉就是第二种情况下的孤单，一个人在阳光明媚的天气里却对着花脸自说自话，或者发狂一样疯言疯语，再不然就是在醒来睁开眼歇斯底里地吼着"烦啦——"

我坐在电脑面前看着和悄然的聊天记录，过滤着她那几句短短的话，说来真好笑，我活了快 18 年，这还是我头一回思考关于"将来"的问题，更想不到，让我思考将来的人会是个比自己小的女孩子，但是话说回来，悄然说得没错——成熟与否，是跟年龄无关的，也是不绝对的。

那天夜里，我迟迟都不能入睡，但是我觉得这种关在小屋里的孤单其实滋味挺不错，那么多未知数在我的脑袋里打着转，让我感到悄然口中的"三人同行"，只是，我忽然想到她，她在这时候是在孤单里空白还是在孤单里过滤？半夜 3 点我打开电脑，点击了悄然自醉的头像——

"悄然，我不知道你在做什么，或许睡了，或许在过滤你的情绪，或许你在空白，只是想告诉你——如果你孤单了记得 Q 我，希望我们可以成为分享心情的朋友。"

但是不知道为什么，悄然从那天起就又开始悄然消失，直到我离开家去学校都没有任何消息。

（五）我们仨 ‧ ‧ ‧ ‧ ‧ ‧

提前一天到了学校，虽然家里到学校的距离走路也就半小时，

而我却选择了住校，在老妈老爸面前美其名曰为了学习，其实是因为在这里除了上课的时间我可以很自由，也不会莫名其妙找不到事情做，和青格去打打球、打打游戏、或者打打人也就过了在教室以外的时光，我想青格住校的原因大概也不过如此罢了！

只是让我们意想不到的是，那个从高一就是我们死对头的林心居然会被安排到我们宿舍成了我们的室友。说起这个姓林的就两个字——欠扁！

高一的时候，此人是我们班掌握操行分大权的纪律委员，自从跟老师搭上伙之后，动不动就拿同胞们开刀，迟到的扣、早退的扣、上课被老师点名的扣，后来在老师的鼓励下竟然发展到连上课动动脑袋也被他当成交头接耳的罪名来扣，弄得班里怨声四起，我倒还无所谓，只是青格因为操行负206分被学校请家长请了4次，结果被他那健壮胜他几倍的内蒙老爸修理得遍体鳞伤，又被他那辣椒嘴的四川老妈从头发尖到脚趾尖都骂了个遍。

谁都以为这大猩猩在身体和思想都彻底被清洗过后能重新做人，谁知道他居然毫不悔改，还挑了个阳光明媚的好日子，跟刚评为学校三好学生的纪律委员在学校的操场较量了一番拳脚，结果是两败俱伤、惨不忍睹，虽然没有生命危险，大家还都是到医院去接受过处理的。照理来说，一般人在青格的拳头下只有说 I 服了 YOU，偏偏这个林心又是干着农活长大的，力气大得不一般，那拳头也是铁硬铁硬的，砸在脸上感觉还真像那么回事，为什么我会谈到这种感觉？因为我也是那次讨伐纪律委员的两名壮士之一，谁叫我倒霉，是那大猩猩的手脚呀！

但是我们的壮举还是有点成效的，林心在第二天就跑去跟班主任说自己不再当纪律委员，而班上的同学谁都不想讨伐事件发生在自己身上，所以班里也就取消了本来就多此一举破坏团结恶心吧唧的有关管理纪律的这一职务。

不过天下并没因此而太平，哦，应该是我和青格没能太平才对——学校判定我们故意挑衅滋事欺负同学而给我和青格留校察看的处分，其实我都不知道到底是谁欺负了谁？到今天我还在怀疑如果当初没我做帮手，青格和他单打独斗还真有点费劲，可能到医院缝针的就是青格，涂红药水的才是他林心，在打架技术上我对他倒是没二话可说，但是说到为人上就比较痛恨了，你说大家都老大不小了，打个小架了结一下恩怨也就罢了，何必要告到学校去？这梁子可就是这么结下来的！

那事以后，青格总想找几个外校的哥们儿报复他，但是苦于一学期留校察看的处分压在身上，所以迟迟未敢动手，只是时不时找他点小茬儿小解心中的怨恨。哪晓得那家伙也背，本来成绩在班里和兰楠都有得一拼，却也在期末考试的时候作弊，不巧的是那次考试青格正好坐他后排，当他翻书时又正巧被青格看到，大猩猩当场就做了个举报不良现象的好学生把他给告了。

之后青格在我面前说那还是他第一次打小报告当小人，害林心的三好生泡汤，优干也成了泡影，确实有点过意不去，我只好对他说有仇不报非君子来安慰他，于是他又想到我们的处分都还没撤销才兴高采烈地说出了真心话——真是爽啊，看他以后还怎么拽，我这也是以牙还牙，打小报告在先的是他！

我当时也觉着痛快，赞许青格眼尖，居然发现人家在作弊，哪晓得那家伙说出的话让我差点晕倒——我每场考试都盯着他，偶尔

可以抄到几个选择题！

　　高二的时候那家伙做出的事情有两件是欠扁的，一是在篮球比赛的时候抓伤了我的脸，到现在伤疤都还没褪色，根据我和青格的推测那家伙是撞不过青格的体格就把揭发作弊的气撒在我身上了，谁能料到那厮居然会在为班级争荣誉的时候进行私人打击报复呢？而且还把事情做成无心之举，让我和青格想打人却又怕人家说我们小气，只能把这怨恨收在心中，想着来日方长。第二件可就有点意思了，那看来老实巴交、成绩优异的好学生居然对我们的兰楠起了贼心，这事情还是我最先发现的，因为那家伙在上课的时候总是偷偷地朝我这边瞄（注：兰楠与我乃是同桌，我自然知道他对我犹如我对他一样都是没兴趣的，那当然是在瞄咱们小楠了），那眼神还真像贼那么贼溜溜的，还动不动就找机会接近她，帮她这个帮她那个的，弄得我跟青格这两个御用护花使者都快下岗了，我倒也觉得清闲，只是青格那家伙很不以为然，说林心是癞蛤蟆想吃天鹅肉，甚至怀疑他是为了打击报复我们才接近兰楠的。

　　有段时间，在我们周末回家的路上，我发现林心总是跟在我们身后，最后居然干脆就变成我和青格跟在他和兰楠的身后了！为了这事情，青格专门找兰楠面谈了几次，把林心的用心讲给她听，哪晓得兰楠却骂我们小气鬼，过了那么久还跟人家记仇，还说跟林心走得近是因为他们经常讨论问题，末了还说什么如果我俩成绩好也不至于去和别人讨论！

　　人家楠楠都不烦就随人家去吧，这死脑筋的青格却非要跟别人划清界限，居然用友谊来威胁楠楠，说是有他就没有大猩猩，有大猩猩就不能有那伪君子，最后当然只有楠楠妥协了，但是也只答应

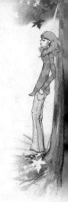

不和林心周末一起回家，在学校讨论问题那就不许干涉，到了这个地步，身为中等生的我与身为超级劣等生的青格只好点头了，只是点头的同时也更加讨厌那个家伙——原因不止是从前的怨恨，还有就是他的成绩太好了！

　　从我们进寝室起，林心就在看书，只在我们进门时抬头看了一眼，这时候我和青格都收拾好了床铺，他依然把头埋在书里，而我发现他就一直没有翻动过那本书，不知道他那么专注是在分析书中的问题还是和我暑假里一样只是在装样子，可是装样子在我们面前装有什么意思？那种游戏只适合跟家长、老师或者女生玩的，难道还指望我们这两个毫无上进心的人对他竖大拇指？哀哉，小拇指倒是留给他专用的，还是朝下的。

　　话是这么说，但是林心在开学前一天的美好下午就抱着书啃的举动多少还是影响到了我们两个热血青年的大好心情——我们在去女生宿舍楼下找楠楠的时候，青格就说新学期可真晦气，跟那伪君子一窝睡，还第一天就受了打击，直让人感觉期末考试要到了！

　　来到女生宿舍楼下，我俩同时清了清嗓子，向着住在六楼的楠楠喊——

　　"春儿——春儿——"

　　晕倒，在我们运足底气正要发出雄狮般摄人心魄的浑厚男中音呼喊楠楠的一刹那，五米开外一个小个子男生却用他高八度的刺耳声音望着楼上叫着春，我和青格差点就被自己刚运到嗓子眼儿的气给呛死，咳嗽几声后，赶紧撤离现场十米外，因为怕楼上那些窗口里探出头来看稀奇的女生会认错了这叫春的主角！

　　看稀奇的确实不少，但是女生往往还是比较仁慈，只是捂着嘴偷笑一阵，四楼一个女生可能是那个春儿的室友倒是发了话给那小个子——

　　"春儿不在，出去买东西了。"

　　"哦谢谢，那我晚上再来叫她！"

　　青格在我旁边笑得直不起腰："我的天，他晚上还要来叫春。"

　　"你这烂眼儿就晓得乱想，那是人家的名字。"

　　"我乱想什么？我就说大白天叫春，我没说什么呀？你想的是什么？"

　　"……"

　　在水吧里和楠楠说起这事情，她笑了笑说是自己也听见了，却把我们两个说了一顿，说是我们总要把人家的无心之举拿来当笑话。

　　虽然几天前大家聚过一次，但是人太多了，我们三个都没能好好分享彼此在暑假里的生活，于是在今天多半聊的还是各自发生在这两个月里的趣事，理所当然青格的"青羊宫"事件被我当场揭发，那家伙自然不示弱地搬出了我喝的冒牌马奶酒和我的网络克星，一阵嘻哈之后，楠楠也说起了一件意想不到的事情，说是从老家回来时，发现自己有封信搁在书桌上，仔细一看就发现百分之百是被拆开过的，很显然一定是妈妈偷看过，因为她爸爸是和她一起回的老家，家里除了妈妈没别人，而且她也发现她老妈那几天像是在很仔细地观察自己的反应，让人觉得很是别扭，还问我和青格在家遇见过这种情况没有。

　　我倒是想呀，如果真有人给我写封信还不得高兴死，只是哀

哉，从来就没有女生给我写过信，那男生自然更没有给我写信的兴趣，既然信都没有，那信被偷看的事当然就子虚乌有了。

我想我这长得还算像个人的家伙都没人用文字关心的经历，那黑猩猩自然更是无人问津，却没料到那家伙这时候却在楠楠面前大撒其谎——

"给我写情书的倒是有不少，只是我保密工作做得比较周密，嘿嘿，要是我妈知道了，肯定要了我的命，她老早就给我说过了，要谈恋爱得有了自己的钱给人家买花才行，自己还像地主一样地剥削家里，休想再带个南霸天回来！"

听了青格的话，我只等着掉眼珠子，依他那模样和德行能有"不少情书"？太值得考究了，况且他那包不住半句话的性格能把自己的辉煌战绩隐藏那么久？

"我说你是不是脑子烧坏了，还是刚才听人家叫春自己也感染了？"

"喂，你可不要狗眼看人低，我青格一健壮帅哥有人暗恋那是正常，而且也是理所应当的，想我头可……"

"想我头可断，发型不能乱；血可流，皮鞋不能不上油是吧？"楠楠边瞪他边说着他的名言，转而又说："你们都扯哪里去了，一说是信难道就非得是情书？"

"那你说得那么哀怨干什么？好像你老妈侵犯了你的隐私权一样。"

一听不是关于那方面的事，我立即觉得没了兴味。

"去你的，不管写的是什么内容，家长也不该这样吧，我们也老大不小了，他们还老当我们是圈养的动物，处处看着管着的，

我记着在初中时，我老妈就偷看过我的日记了，还经常翻我书包，没劲！"

　　"你老妈担心你那是正常，谁叫她把你生成个美人坯子呀，她多半是在你这么大的时候就情书不断，最后被情书毁了美好前程，所以不要你重蹈覆辙呢！"

　　"你个臭猩猩，这不明摆着说我老爸坏话嘛。"

　　"啊？我没说呀！"

　　"还没说！什么毁了美好前程？你那不是说楠楠她妈跟着她老爸就是一片灰暗？"我给那新世纪文盲解释着。

　　"好像是说错了哦，哎呀才疏学浅不要计较嘛，快说说到底是谁给你写的信，写的是什么？"

　　"一个班里的同学，也没什么的，就是问候一下罢了。"

　　"是谁写的呀？"

　　"你问那么清楚做什么？"我都看不惯青格那追根究底的德行了。

　　"嘿嘿，我就是想问问是不是你小子搞的鬼，趁我不注意动起楠楠的歪脑筋。"

　　我赶紧握着青格的手："英雄所见略同，我还真有点怀疑你这兔子想吃窝边草呢！"

　　"你们俩真是够了，恶心吧唧的说些什么呢，凭你们猜去，就是不说。"

　　"……"

　　三人一块儿吃了晚饭，天色已是小黑状态，楠楠回了宿舍，而我和青格则游荡在学校的操场上研究楠楠同志那封疑似被偷看过的

班中某某写给她的暑假问候信——

"我估计有可能是王某某写的，那家伙高一时候就经常传纸条给楠楠。"

"但是他现在和三班李某某打得火热。"我立即提出反驳论据。

"那刘某某也有嫌疑，他经常帮楠楠收作业，发本子什么的。"

"不应该！那家伙也有相好的，我看见过他和外校女生在一起好几次了。"

"那你看肖某呢？我发现他帮楠楠倒过垃圾，帮她出过板报。"

"不可能，那家伙跟女生讲讲话都会脸红一个星期，就算他真对咱们楠楠有贼心也没那贼胆哪！"

"那就非王思妍不可了，楠楠除了跟咱们走得近以外就属跟她最亲近，我就纳闷她们怎么可以连上厕所也得一路？"

"晕倒，王思妍可是女生呢，她又没发疯给楠楠写什么信？"

"人家楠楠也没说过写信的人是男是女呀？"

"说你是猪头还真是恰当，要真是王思妍写的，楠楠她妈能在偷看了信之后还观察她的反应？楠楠也就没必要对我们隐瞒什么的！"

"有道理！那……"

"我知道你想到谁了，大概和我想的是同一个人。"

"啊——他！"

正当我俩心照不宣地对视而笑时，青格一伸手指向未浓的夜色中，原来正是我们心中想到的人物——林心！

看他的出行路线像是往女生宿舍去的，于是我俩很有默契地从双杠上跳下去尾随其后。果然不出所料，林心最终将脚步停留在楠

楠她们宿舍的下方，只是在犹豫着不敢开口喊出声音，在那里站一站，蹲一蹲，估计还在考虑用什么借口找她吧，这时候戏剧性的一幕又开始了，那个中午在此处叫春的小个子撒丫子跑过来对着楼上就开吼——

"春儿——春儿——"

"哗啦——"

这次回应他的可不是四楼的好心女生了，而是一盆水，我估计还是姑娘的洗脚水，伴随泼水的声音还有隐约的嬉笑和责骂，这可让我和青格见识了一番巾帼的厉害，我还躲在角落里继续掩嘴偷笑时，万万没料到青格也撒丫子跑到宿舍前去狂叫了三声"春儿"，回应的便是铺天盖地的洗脚水（或者除了纯净水及矿泉水以外的液体），其中我还听见有位巾帼英豪说着："敢在女生宿舍外连着叫一天的春，杀无赦——"

"你也太狠了吧，这损招都能想出来。"

和青格一口气跑到了寝室里，我都还没笑完，怎么能不笑啊，想着这大猩猩跑到林心站着的位置学那小个子朝着楼上吼了两声，然后一阵风似的跑掉，可能那些女生心想这狼崽子还真胆大，泼了他一盆还嫌少，于是十几盆的一起来——真可怜那被眼前事实弄得晕了头反应不过来的林心，就那么眼睁睁地牺牲在女生宿舍楼下！

"开玩笑，我是谁呀，见机行事是我的本领，我青格别的没啥就力气大、反应快。"

"你就没想着要是自己跑得不及时，那也得挨泼呀。"

"切，你是今天才认识我啊，我跑步绝对超过自由落体的速度！"

"那是那是，你最牛了，你该想着等下林心回来会有怎样的后果。"

"怕什么？我才不怕呢！"

"不是怕不怕的问题，是你确实有点过分了。"

"我过分了？好像是有点哦……但是，你想想我们的处分，我们的楠楠！"

"嗯，确实过分——手软了。"

"哈哈……"

两个人在寝室里笑作一团，却听见屋外传来脚步声，立即装作若无其事地站在阳台上看月亮——其实天上就只有一片乌云。

"啊——今夜月色皎洁，宛若一只银盘镶于夜空，真叫人赏心悦目呀！"

听着这新世纪文盲拿诗人的腔调胡诌着句子，我强忍着叫自己不要笑出声，因为我侧眼看见全身湿透的林心才正是一脸的叫人"赏心悦目"，而这该死的大猩猩却全然不顾，还自燃战火："如此美景应是开怀才是，为何啸兄要强忍欢笑？"

天哪，看着林心红一阵青一阵的脸色，我都准备去找挡板和护腕迎接他铁硬的拳头了，可是他却意外地没有发作，只是狠狠瞪我们一眼说："二位，楼下有人找！"

"干吗？这么快就找了人来报仇呀，走就走呗，WHO 怕 WHO！"

我们俩飞快地跑到楼下，面对林心请来的帮手顿时吓得发抖，心想着完了，这下就算保全小命也得伤残好几级——

"我说你们两个太无聊了吧，什么不好玩偏去开这种弱智玩笑，都十七八了还像个小孩子一样跟人记仇，还记了两年，人家林心不就是当纪律委员的时候认真了点吗，而且打也打过了，你们还是两个人打人家一个。"

"……"

"不说话代表什么？知道自己理亏了？真是吃饱了撑的没事干，你们第一次和林心对上的时候我就说过了，人家没有错，没肚量的是你们，你们太斤斤计较了……"

"我们没肚量？"青格的脸色很不好看，想是给楠楠这句话气的："我今天告诉你，没肚量的是他林心，打了就打了，他去告什么状，我和啸一学期的留校察看你没看见哪？"

"就算是告你们又怎么样？是你们错在先的，给你们教训也是应该的，做了事情就该承受结果，也要做得光明磊落。"

"好个光明磊落，该不会忘了谁为了保持自己的名次而作弊吧！"

"青格·巴雅尔，你太过分了，你除了会揭人伤疤，会打架你还会什么？"

"兰楠，你也别过分了，你就会对着我和啸大呼小叫，对其他人都是小声细气温柔得跟只猫一样，你就会欺负我们两个！"

"你——"

"我怎么了，我说的都是实话！"

"你们两个别吵了，犯得着吗？为着个外人何必伤了自己人的感情！"

看着他们俩吹胡子瞪眼睛，我赶紧打起圆场。

"外人，哼，我看在她心里现在指不准谁才是外人呢，不是连情书都收到了吗？"

"青格——"

青格说完一转身往校门方向走了，我的叫喊也没能让他停下。

"楠楠——"

而楠楠在我的厉声呼喊中将委屈直接冒出眼眶，撒丫子奔回了宿舍……

我望望头上的乌云——哀哉，这是什么鬼天气呀！

（六）未晴天 ● ● ● ● ● ● ●

青格为着和楠楠的不愉快事件而显得异常烦闷，成天没个好脸色，一放学便去体育室练习他的拳脚，或者拖着我去网吧里消遣时光，而楠楠这学期不再是我的同桌，她有时会转过头来看看我，但是从来不看坐在后排的青格，即使大家碰到一块不能回避眼光也就那么互相看一眼便各自走开——

我以为过个几天大家就能消了气，忘了自己在气头上说过的那些互相伤害感情的话，哪知道，这都第二个星期天了，两人一点雨过天晴的兆头都没有，害我夹在中间难为人啊！本来指望着暑假结束能在学校里和这俩哥们儿活跃点儿，却不曾料想是左边一张臭脸右边一双怒眼——最倒霉的是我活该就成了两边的出气筒！还是在家里比较安全，起码有花脸可以任我肆意宰割！

天气不错，而且在学校里生活的一周时间也终于将我在暑假里颠倒的生物钟调整过来，我在清晨里醒来时恍惚记得老妈半夜里出门时叮嘱过让我把洗衣机里的衣服拿去晾了，于是我赶在上厕所之前完成了这一光荣任务。为何如此，那是因为我怕在我专注清理完内部垃圾后会忘记在一天里不算阳光工程的小事！而我的大事则是哀悼一遍自己的成绩，遥想一遍未卜的一年之后，仅是如此想想而已，当马桶哗啦啦一冲刷，我知道一切所想的就离我很遥远了，近在咫尺的却是精彩的网络游戏。

开电脑后就打开 QQ 的习惯是在遇见悄然之后形成的，她很长一段时间都没上过线，也或者她是隐身上线只是不愿意和我这笨猪冠军浪费口舌而已，当我这样想着的同时，我知道自己多疑了，因为这时候悄然自醉正在线上，而且那头像还欢快地闪动着——

"星期八，谢谢你了，孤单的时候我一定会 Q 你，即使你有点笨，可能无法分享出来自我的心情里的味道，呵呵！"

这是什么话，好像我真是笨猪一般，但是我发现她这条消息确实是今天才发的，那证明之前那么长一段时间她都没上过网。

星期八：悄然小姐真是行踪缥缈呀，今天怎么突然出现了？

悄然自醉：你没看我 QQ 的 IP？

这才注意到面版上显示对方 IP 为成都市 ADSL，心里很是惊讶，怎么都开学了还跑到成都来。

星期八：你怎么会在成都？没上课啊？

悄然自醉：今天是星期天，该休息呀。

星期八：拜托，你不会是专程从乐山赶来成都看我吧。你们乐山网络出问题了？我是说怎么开学了你会在成都？

悄然自醉：是开学了啊，我也在上学啊，地点就在成都，这有什么不对？

星期八：天，原来你是在这边念书的啊，以前都没听你提起过。

悄然自醉：刚转来的，这边可能要清净点，好了不说这个了，你过得怎么样？不会还在天天玩游戏吧，别玩了，多想想将来吧！

……

　　悄然是不想再说她从乐山转学到这边的原因，我知道那是她认为我分享不了的心情，所以也没继续问，只讲了讲唯一让自己有点情绪的事情——青格和楠楠那场不愉快的前前后后。而她听过、笑过后说那事情算什么情绪呀，明摆着的是大家都闲着，闹闹给生活加点情趣呢，而且还严重声明最闲的人便是我和青格，这让我再度想了几分钟属于我的"大事"。

　　而可喜的是聊天结束前，悄然居然对我说了个不让这情绪继续的办法，其实她就说了一句话——跟他们说对方生病或者要死了！我不知道能不能管用，心想反正闲着也是闲着，试试何妨……

　　青格在我做蛋炒饭时打来电话，说是他老妈过生日晚上回不了学校，因为他老妈生日里的要求就是老公和儿子得跟她走，所以早上就陪她逛了人民商场、百货大楼、王府井等等大小地方，下午还得去公园溜达，晚上必须一起吃了饭才算完成任务，听他在电话里的口气活像遭了什么大罪似的，不过我倒是挺高兴，正好实施计划。

　　我把在接电话过程中焦掉的蛋炒饭给了花脸便去了学校，找到离家太远周末里也留校的王思妍，意想不到的是她居然早知道了楠楠和青格闹的别扭，说那天楠楠跑回宿舍蒙头哭了一阵，之后心情一直都不怎么好。

　　"你说大猩猩是不是太认真了，楠楠也不是第一次那样说你们了，以前也没见你反应强烈嘛，照理说你们三个那么铁的关系，不说你们才不正常呢。"

"但是他们翻脸就不正常了，也不知道两个人发什么神经，算了，事情都这样了，我想了个办法……"

王思妍听了我说的方法后瞪眼说："老套，"接着就笑，"但是既然是老套当然就是值得遵循的好方法！"

晚自习上，我走到咱们楠楠班长面前告诉她青格因为情绪压抑而跟人打架致伤，此刻还在医院观察所以给他代假，楠楠眼中立即呈现关心状态，但又立即收住，只点点头。她同桌的王思妍却道——

"那家伙一天不打架惹事就要发疯，活该了他！"

"不能这么说，这次可真不是他惹事，星期五晚上找我陪他喝酒，说是觉得自己说话过分得罪了某某人，但是又不知道怎么开口道歉，正在研究如何解决问题的时候遇见馆子里几个人故意闹事，他也正心烦就打上了！"

"你怎么不劝他？"楠楠还是忍不住说了话，"算了，当我没说，他那德行谁劝谁倒霉。"

"可不能这么说，这次打架完全是出于替天行道，那几个想白吃白喝呢，只是我可想不通，那家伙居然无意中说是打了就打了，反正楠楠都不会原谅他也不会再关心他那个朋友了！"

"楠楠才不是那种小气鬼，几句气话还真能把那么多年的朋友当陌生人了？"王思妍适时地帮腔。

"我……我什么时候不关心朋友了？他自己不想要我这个婆婆妈妈的朋友而已！"说着这些，我猜楠楠是想到他们吵架的那晚了，眼睛里的委屈立即表现出来。

　　听了这话，我和王思妍对着眨眨眼。

　　青格在星期一的第一堂课上了一半时才慌张地溜进教室，跟我对了个眼神后望了一眼楠楠的位子——是空的，甚至连楠楠的同桌王思妍也没踪影！然后我看到那猩猩眼里有些疑问，因为楠楠那样的好学生似乎就没翘过一节课。

　　下课后大猩猩就跑到我跟前来，居然很沉得住气，只跟我聊他一天逛街逛到发疯，其实我估计他也就是想过来看看我会不会讲到楠楠缺席的原因，结果我故意装傻，他也不想丢了脸面直接问起，上课铃响的时候他才很不甘心地回了自己的位子。而我倒是一直在观察他，一节课上他交替做着三件事——瞟一眼楠楠的位子，发一阵愣，低头瞎翻一阵书，然后再瞟……

　　放学后，我们一起到食堂打饭时那家伙终于自以为是想到个好主意："嘿嘿，我今天迟到肯定不会被扣分哦！"

　　"为什么？"我假装不知所以。

　　"因为班长都不在呀。"得意得非常不自然。

　　"哦，那你下午也完全可以翘课。"

　　看着青格满眼问号我接着说："昨天晚自习楠楠突然晕倒被送医院了，说是贫血，王思妍在那里照顾她，不晓得什么时候可以回来！"

　　"那你昨天晚上怎么不打电话给我？"

　　"打电话给你做什么？你们不是互相不理了吗，我以为你不关心这样的小事呢？不就贫血吗，没事！"我猜青格多半想到初中时候自己急性胃炎，楠楠半夜三更地跑去医院里陪他了。

"你个死猪，斗几句嘴那么小的事情我早就忘了，那丫头可没怎么生过病呀，我们去看她吧，走走走！"

我瘪了瘪嘴，这些人，多虚伪呀？一个是哪有不关心，一个是早就忘了，却要碰到一块就假装"目中无人"，啧啧！

"不用去了，可能下午就能回来，只是在打点滴，况且王思妍陪着呢！"我斜他一眼，"我说你小子也太小气了，楠楠那个性你我都见识了那么多年，这都不知道是第几千回了，你来什么真的呀，她能受得了你那种口气？"

"我……"青格也瘪瘪嘴，"我过分是过分了点，但是你也看见啦，她从来都不说别人不对，老说我们两大男人心贼！"

"……"

这话我倒是认同，楠楠那家伙向来都说我们不是，说别人错也错得在理，但是这个节骨眼上可不能继续煽风呀，于是沉默两秒就说："那是她觉得咱们仨是一伙的！"

好个一伙的，像我们仨这种组合真是少见，两个在学校里跟瘟神一样的家伙却跟全校各方面都优秀，而且还是校花的女生走到一路，而且一走就走了四五年的时间。

我和楠楠初一就是同学了，但是互不相干，第二年那大猩猩从内蒙带着一身的马奶酒和羊肉味道跑到咱们班来撒野，每天都要找楠楠的茬儿，不是揪人家辫子就是往人家书包里装死老鼠，要不就给人家背上贴乌龟——我都实在看不下去了（主要那些恶心的东西距离我太近——谁让楠楠是我同桌），想着你个少数民族也不能拿咱们汉人不当回事呀，于是在一个秋风扫落叶的下午，我带着从

家里工具箱里找到的透明胶赶在最早的时候到了教室，那种胶水没有颜色，而且一般是在半小时之后才会干的。嘿嘿，我在那臭小子的板凳上均匀地涂了一层，然后就坐在位子上等着看好戏，结果我有点后悔自己冲动的一时豪迈而忘了那大猩猩的蛮劲，当他裤子被胶水粘掉两个窟窿又看到我和楠楠窃笑时，便冲过来把我打个鼻青脸肿，当然他也好不了多少。只是让我意外的是当我们仨站在校长办公室的时候，他居然承认自己先动手打人，而没提到为什么打人，校长一看当时已经为学校争过光的楠楠和我站在一边，理所当然就把那小子教训一顿还请了家长……

事后嘛，我有点过意不去了，便和楠楠请他吃了个面包，他就嘿嘿地傻笑说他可倒霉了，每次打架被他老爸知道自己就要在家里遭受身体被打，那时候他恐怕没料到，从此后会变成每次打架被楠楠知道自己就要遭受精神被打——对此，我没有幸灾乐祸的理由，因为跟大猩猩搅上后，我也一直和他享受同等待遇！

其实有时候不能把人家青格说得一无是处，他的到来起码改变了这个学校的一种现象，听说我们学校很早就有这样的规律，就是高年级的人总要欺负低年级的——高三的打高二的，高二的就打高一的，以此类推，当然高三的也可以直接就打初一的。学校里的小霸王也很多，各自有各自的人马，少则三两个，多则十几二十。其中有个比较出名的叫石杨，那家伙比我们高一级，拉帮结派网罗了不少和他臭味相投的人，干的事情其实也没啥，就是在一些低年级学生身上搜点零花钱，或者打点没力气还手的人，我猜他们还没到电视里那些不良少年的级别，要不然……嘿嘿，就不会一个青格就把他们弄得晕头转向。

青格刚来学校的时候就被石杨他们几个堵在厕所搜身，结果青格出来了，他们全在里头；我们初三的时候，石杨不知哪根筋坏了居然打起楠楠的主意，楠楠不甩他结果遭了他们班里女生的魔掌，青格为此事第二次打了石杨第一次打了女生（咳咳，我是帮凶！），我们高一的时候石杨更是搞笑，居然来招募青格和我跟他做朋友——谁不明白想带我们做小弟？排开我们根本不想欺负谁的本质，就算做小弟那他做我们小弟说不定还嫌他不禁打呢，于是没能达成合作关系，架是打了一场；嘿，没想到高二时那家伙不为了自己毕业操心又转回来找楠楠的麻烦，于是架就打得没完没了，我们被楠楠骂得也是没完没了——真是惨，其实每次我们都比别人伤得重，人家人多呀！就这么需要同情的时候楠楠还是要叽里呱啦地骂一堆，说是用在我们身上的红花油都可以炒十几桌菜了！

现在好了，我们从初二一直把他打到了毕业，终于可以清净了，我们三个甚至为了庆祝石杨那人渣光荣离校跑去海吃了一顿，在那天楠楠郑重地对我们说既然恶人都走了，以后再不许打架，还啰唆地冒出什么最后一年大家加油学习等等苍蝇蚊子之类的嗡嗡声！

跟大猩猩一起回味了一下光辉历史，那家伙就拖我去买了几大包零食，说是要给楠楠送到宿舍去表示他无言的道歉以及慰问，而我也告诉他其实楠楠根本就没生气，就是不好先开口讲和罢了……

（七）她的眼神 ● ● ● ● ● ●

下午上课时，那两人也没找着机会开口讲句话，倒是王思妍委

屈万分地亮出自己的手背给我看："你说我容易吗？为了演这出戏，我可是遭了大罪了，那医生真是不道德呀，我明明就是装着病去的，他非说我体质太弱，硬逼着给我输了瓶氨基酸。"

"没事没事，那玩意儿正常人也能输的，没副作用。"

"你当然没事了，你知不知道我这个星期连着下个星期的饭钱就这样一次性输进了血管！"

人家这是为了配合我演戏救人于水火，我怎能让她挨针还挨饿？

"这个星期跟我混不就得了，操什么心哦，大不了我们一天三顿都吃馒头稀饭嘛！"

"嘿嘿，这还差不多。"王思妍立即少了几分委屈，"还有啊，我手都肿了，下午又轮着我们组大扫除，别忘了代我啊！"

她转身走时，我看见她脸上的委屈一扫而光——是全跑到我脸上来了吧！

下午大扫除的时候，我和楠楠，应该是王思妍和楠楠被分配扫教室，其他人去扫公共区，青格就在教室里帮我们拉拉桌子摆摆板凳，我知道那家伙其实是想找个机会打破两个人的沉默。

果然，在我和楠楠站在桌上擦窗户时，那家伙鬼头鬼脑地摸出个小册子站在我后面："喂，你们想不想看看我的新邮票？"

天哪，我几乎都要忘了这新世纪文盲一直还有个集邮的高雅爱好，从初中二年级转到我们班的时候就一直摆弄着那些一小片一小片的纸张，有时候还会在上课的时候，用纸把邮票包着经过很多同学的手传给我和楠楠看，他还在纸上写明这是什么什么纪念票，什么什么套票——都是些我们不懂的东东！我们都不知道这些小纸片

儿对我们有什么好处，不能吃、不能穿，拿来擦屁股好像又不够尺寸！倒是楠楠无意中提醒了我，说这些东西对我们没用，却是青格的心肝宝贝哪，可千万别给他弄脏了，到时候他又要来讹诈！

于是乎，在青格又一次在上课时带着炫耀的眼神目送着他的宝贝邮票到我们手里时，我们也第一次回赠了他一页纸——上面写着："你当它是宝，我当它是草，不曾想害命，只求一顿饱。切记：如果不请我们吃饭就让老师以你打扰别人听讲为由没收你的邮票！三思、三思！"青格看了字条后笑着摇头，我们不知道他摇头的意思是指我们不会那么卑鄙还是不请我们吃饭，所以我毅然决然地站了起来喊了声老师！正在写黑板的老师转过身问什么事时，我就用威胁的眼神看着青格，这时的他脸上挂不住笑了，两手在胸前不停作揖，我看他好像还是不肯就范，就又毅然决然地叫了声"老师，我……"这时再看看青格，他无奈地赔着笑把作揖的手变成了假装拿筷子扒饭的手。老师已经不耐烦了——"你要干吗？"我这才说肚子疼要拉肚子。青格知道逃不过被宰割的命运，于是打打嘴仗也算稍微解解气——在我走到教室门口他说了句："肠胃不好，就不要到处骗吃骗喝嘛，当心拉死你！"这句话引得班里哄堂大笑，但是老师不高兴了——"你这个青格咋的呢？这样子说自己的同学，不像话，到后头去站着！"青格在走向教室后面的时候，我相信他和班里所有同学一样都听到了教室外的走廊里传播着我奸诈的笑声！

这件事过去好几年了，我们都还记得，但是青格似乎早就把它忘到了九霄云外，要不然他怎么能把那些小纸片再次亮给我们看？

此刻，青格正得意地向我挥舞着小册子说："哎，我妈昨天看

我陪她逛街有功特地给我买的一组梅花小票，精致得不得了。"我站在桌子上停下在玻璃上舞动的抹布，伸手让他递给我看，他却摇摇头，我以为他是想起了过去的仇恨，他却依然摇着头说："你的手太脏了，擦擦！"于是我边擦手边嘟哝："有什么了不起，又不稀罕，我不看了！"他嘿嘿地笑着递过他的小册子："不是的，我是怕你手上的灰和水不小心弄在邮票上。"于是我接过他的集邮册，随便翻了翻，这时我突然想到能不能故伎重施，让他再请我们吃顿饭——这时我瞟一眼另张桌上的楠楠，那家伙的脸色让我猜到她也是想起了当初！

于是乎，我双手握紧集邮册然后尽量靠近窗户好离青格远些，之后带着奸诈的笑说："请吃饭，不然别想拿回邮票！"青格这才突然鼓大眼睛估计是想起初三时的遭遇，开始责怪自己不长记性——送羊入虎口的事竟然做了两次！接着又大骂我是披着羊皮的狼、卑鄙下流的白眼狼、偷鸡摸狗的黄鼠狼……看着我都充耳不闻时终于咆哮着爬上桌子要来抢集邮册，等他还没站直腰我就不慌不忙地把东西扔给另一个窗户前的楠楠，并还加了句："不让他拿到，我们就有丰盛的晚餐了！"青格只好又跑去楠楠那里，结果是集邮册又回到我的手中，几次折腾下来，他就已经被我们的"抛物运动"弄晕了头，他站在地下定了定神，然后笑出了声——他不再东跑西跑而是来把我的桌子往楠楠那边拖，使我俩的距离变成了零，然后他迅速地爬上我的桌子来抢我手里的集邮册，我于是很快地递给楠楠，又说："快跑！快跑！"可是青格一脚就踩到楠楠的桌上拉住了她的手，在他想控制楠楠那只不停搅动的手时，我就抢先一步得到了集邮册，于是，他只好又来与我周旋，此刻场面已经

到了非常混乱的地步，每个人心里都很紧张，在他离我还有一小段距离时，我就急于脱手，把集邮册使劲朝楠楠扔过去，青格却瞄准了机会，把他打篮球时用的抢篮板的技术都使了出来——只见他两手向上一伸，便在空中拦截了集邮册，可是因为没有抓住又用力过猛，集邮册在触碰到他的双手后径直飞到了窗户外面，我们三人同时把脑袋伸出窗口——我的天！下面有一大堆正在燃烧的树叶，而集邮册——正不幸地躺在那堆火中！青格终于发怒了，伸手来掐住我的脖子，我只能从嗓子眼里冒出一句话："快去楼下，说不定还有救。"他这才撒手往楼下的火堆跑去。

　　我在这混乱的时刻突然看到教室后面还有一桶洗过拖把的水，赶忙和楠楠抬到桌子上——我想这桶水肯定是可以灭掉那堆火的，我们费了九牛二虎之力，终于把它弄到窗台上朝下倒去——这同时从下面传来两声尖叫，我们伸出头朝下看——亲爱的青格兄弟连同他手上的被火烧卷起来的集邮册此刻都浑身滴水，他站在被水浇过而升起一股黑烟的火堆边上，头发上插着一片烧焦的树叶，脸上也粘着些黑黑的树叶灰，和着他那双盯着正在滴水的集邮册的忧郁眼睛——那感觉真是太凄美了！楠楠在我耳边说："真是太惨了！"我点了点头："何止惨，简直是残忍！"

　　话说到这里，我得提到一件事情，刚才不是说了是两声尖叫吗，不错，除了青格外，还有个人跟他遭了同样的待遇，估计是正在负责烧公共区垃圾的高二学生，迷彩 T 恤和蓝色牛仔裤还有运动鞋全被灰浆包裹着，她那一头微微弯曲的长发也正滴着污水，我一看是个身材瘦弱的女生，便放心些许，想着她虽然气愤难当也不可能有胆量来找我寻仇，但是她那双眼睛盯着我的时候，我有点发慌——很难形容的眼神，像是没多少愤怒，但是绝对不是没有恼恨，几秒钟后，她就把目光转向了我身边的楠楠，没想到女生在看见楠楠时也会睁大了眼睛，她足足盯了楠楠半分钟才终于轻飘地眨了下眼将目光收回，拍都没拍一下身上的污秽就提着扫帚懒懒地走开——很从容！

"方啸含——楠楠——你们两头猪等着挨宰吧——"

大猩猩狂呼着往楼上跑来，我都没来得及害怕，因为那个女孩突然转过头望了我一眼，那时候我看清楚了，她的眼里是一种——我看不懂。

容不得我去想那没来由的"看不懂"眼神，青格的拳头已经打在了我的身上，而楠楠不帮忙却还在一边咯咯笑着助兴。

这俩冤家可就这么和好了，但是我觉得自己是不是太那个什么冤大头了，王思妍敲我竹杠那也无可厚非，人家是牺牲了金钱与身体的，青格可就太过分了，自己打肿脸充胖子把生活费都买了零食给楠楠，反过来却像狗皮膏药一样黏着我——蹭了早饭就想着午饭，晚上他还得吃好的，说是练拳消耗太多体力。就这样吧我还得看他脸色，稍不留神他就把集邮册的尸体摆在我眼前说一个字——"赔！"

赔不起，就只好当奴才，碰上这么些妖怪，我上辈子不知是造了什么孽！话是这么说，但是终于不必两面看脸色也终究是件高兴的事情，想着下次给悄然说起她给我出的点子奏效了不知道她会是什么反应。

一想到悄然，说不清楚的感觉，这个女孩从一出现就是那么犀

利那么桀骜不驯，但是我总是在很多时候想起她，不知道她长什么模样，像她那种性格，应该不会太漂亮，但是一定有很多吸引人的地方，除了性格以外，她的穿着打扮也绝对不会跟其他女孩一样，她的眼睛也绝对不会是楠楠那种温柔的水汪汪的大眼睛，看着人的时候也不会动不动就笑，而且有可能在大家为一件事情得意忘形时突然用一句经典话泼来一瓢冷水，然后看大家扫兴的模样……

某天下午最后一节课，我胡乱地想着这些，禁不住自己都笑起来。

"你一个人傻笑什么呢，吃饭了我的财神！"

青格不知什么时候站在旁边，我才发现已经放学。

在食堂吃个饭可真像打仗，顾着打饭就顾不上占吃饭的地儿，还好我们有四个人，我和青格长得人高马大自然去人堆里挤抢饭抢菜，楠楠和王思妍就跑去找位子，一切搞定后，我们四人围在桌前笑闹着吃饭，却发现不远的一张桌子前闹着不愉快，本来在食堂里为了争位子而吵架打架再正常不过了，我们甚至都已经把它当作了一道开胃菜，但是今天有点不一样，我想，青格和楠楠也都注意到了，那个面对着我们的女孩——她有一头微微卷曲的头发，有一双冷静而幽深的眼睛，对，就是那个被我们用污水泼到的女生！

她今天穿着件白色的 T 恤，给人的感觉是干净朴素，她一个人坐着，周围是四个女生，看那情形应该是那四个女生用饭盒的盖子占了位子后跑去打饭，结果卷头发的女生又坐在那里吃饭，四个女生叫她让开，她不让——

"我的天，那女生完了，怎么去招她们呀？"

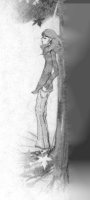

王思妍的话是对的，那几个女生是学校里最招摇最霸道的人物，以前石杨没走的时候，她们都是跟他混的，从来都在学校里横行霸道，没想到老大都被我们打得毕了业，她们还是如此嚣张！

只是觉得那卷毛女生也真是的，既然人家占了位子你也就不要倔头倔脑地不识相嘛，你看看这时候不是弄得自己下不了台？

"你是瞎子啊，这位子有人你知道不?"

说话的是四个女生中最高的一个。

"是瞎的应该是你们，没看见我坐在这里吃饭?"

我的天，一个瘦小的女生居然口气跟总统似的。

"你找打是不是？就算这位子是你先占的，让你滚蛋还得滚蛋，何况我们是用了饭盒盖子占了的。"

"我得提醒你，一个饭盒盖子代表占一个人位子，我只坐了四个中的一个，剩三个你们自己挑!"

原来如此，我还真以为那卷毛不懂事呢。

"真他妈是头猪，话都听不懂，我说了叫你滚!"

"还真说对了，我是听不懂你的话，因为我没研究过动物语言！"

听了这话，那几个女生气急败坏，把手里的饭啪地扔在桌上，便动手去抓扯卷毛，当然嘴里伴随的肯定是不堪入耳的三字经。

这同时，青格和我都已经按捺不住，楠楠更是想到那次对不起那卷毛让我们去劝，于是我们冲了过去，便拉开那些女生。

"闹什么闹，这是我方啸啥的朋友，别说你们没占完位子，就是用四个盖子占完了，也得让你们滚蛋就滚蛋!"

天，这是我吗？我都不知道自己能说这么霸道的话。

几个女生气鼓鼓地走掉，我和青格像救世主一样站在卷毛面前慈祥地看着她，等她报以感谢的目光，然后好对她说没什么只是举手之劳，然而她她她……怎么可以是那样——不感谢不说，居然端着饭盒就开始吃饭，头都不抬一下，好像把刚才发生的事情都忘了一般！

两个人悻悻地回去吃饭，青格更是把人家瞪了又瞪："什么嘛，早知道就不帮她了！"

"算了算了，她多半是想起那次我们拿脏水泼到她了。"

楠楠赶紧替那卷毛解释。

和那卷毛几乎是同时吃完了饭，同时走到食堂门口，不知道谁那么缺德，剩饭不倒进泔水桶里，直接就洒在大门口，楠楠跑在最前面去倒剩饭，一脚踩上去就往前滑倒，那前面可是十多级的阶梯呀，摔下去可得遭罪，我们三个慌忙冲上去拉——可来不及了！

说实话，我们都没看清楚卷毛是怎么冲到前面，又是怎样把已经快要倾斜倒地的楠楠拉起来站直的，几个人一身冷汗地站在那里回想惊险一幕，而那个飘扬着一头微微卷曲长发的女生已经走出了很远。

"我估计那卷毛练过拳脚，人在倾倒时候的重量也占人本身重量的一半，而且倒下的速度也非常快，她那么瘦，腿又比我短没道理呀……"

青格像是个专家一样分析着，很明显他也想不通，自己那身手都没来得及，怎么个刚被欺负的小女生就能做到！

"难怪刚才四个女生欺负她她都那么镇定哦，原来是个高手啊！"

王思妍啧啧地称赞着。

但是，他们好像都没发现一件事，那女生在扶稳楠楠的时候，

很认真地看了看楠楠的脸，而且露出一种奇怪的表情，我看见她轻轻咬了一下嘴唇才离开，这让我想起第一次看见她时，她也很认真地看过楠楠，难道她认识我们这位朋友？

当我询问楠楠的时候，她说绝对没有可能会在污水事件以前见过那女孩，可是为什么我倒觉得与她似曾相识？

第二章　也许快乐也许孤单

乐就可以表达高兴

为什么前面得带个快字?

那是叫你赶紧高兴完

好回到孤单里

现在明白了吧

为什么高兴的时候总是一刹那

（一）失眠夜 ●●●●●●

　　星期五下午，青格他老爸开车来接他去亲戚家过周末，想先送我回家，我知道并不顺路就没答应，本来搭公交车也就十来分钟就到家的，何必让人家转个大弯呢！

　　九月里的太阳到了黄昏依旧剩余几分毒辣，没什么风，下班、放学的人群和那些街边被晒蔫的树一样像在煎熬着最后的残忍，而树没有逃脱残忍的希望，只能安然等待日头西落，但是人就不一样了，总想着要挤着早一班的公车回到自己避难的卧室。

　　看着站牌下那一堆等车的人，我真有走路回家的冲动，挤不挤得上去是另一回事，我是担心挤上去了也没什么好滋味，但是转念一想，不就是忍受十分钟吗？管它呢，于是也参与进那密密麻麻的人群中翘盼着那辆能载我回家的公共汽车。

　　我的天，看那车像裹脚的老太太一样摇着步子靠近时就想象得到它已经超负荷了，真不知道我们这群人是怎么一个不剩全都挤上去的，看来售票员对空间的合理安排真是值得我们学习，我最后一个上去，就贴在了后车门上，几乎动弹不得，车启动了却又突然停下开了门，原来有一个女孩扬着手臂追赶而来，没有风，她微卷的

头发却因跑动而飘扬着……

"大家都挪一步，好关门开车了——"

售票员一边卖票一边指挥着，女孩就紧挨着我贴在了车门上。

我跟她的距离，不，当时的拥挤迫使我们不能有距离，可就算那样，她似乎都没发现我，或者她根本就对我没印象了，可是她给我的印象却是那么深刻，起码我注意到她那无法形容的眼神，卷曲的长发跟一身简单干净的穿着，而此刻这种没有距离的距离，我才发现她真是那么的"干净"——依然是 T 恤和牛仔裤，斜挎的蓝色书包没有任何装饰品，手腕上，耳朵上甚至脖子上都没有装饰的痕迹，甚至在我鼻子下那些干净的微微卷曲的头发都没有任何的味道，我开始猜想哪种洗发水是没有味道的？

"门口的，钱递过来买票！"

我这才被惊醒，也立即感觉自己的脸有点烫，估计是发现自己竟然那样去打量一个女生吧！赶紧掏出一块零钱让旁边的帮我递过去，而那女孩掏出钱包翻了一阵，却只拿出一张一百的……

"拿零钱，哪个坐公共汽车拿那么大的，难得给你找！"

"不好意思，身上真的没零钱！"

其实她的声音很好听，极有磁性，像足电台的播音员，一点学生妹的味道都没有，但是语气里总是那么冷静，就和她的表情一样。

"麻烦哦！刚才才遇到张 50 的，这下又来 100 的，找不开！"

我赶紧再掏了块硬币递过去："我帮我朋友买！"

女孩看看我，把自己的钱包收回兜里："下次还给你！"

她这样说，我就能知道她还记得我，心里先前的失落感减轻

些许。

"不用了，一块钱而已，况且我们是一个学校的，那次，那次我还不小心给你泼了一身的脏水。"

"事情一码归一码，你借我一块钱，我是一定要还的，你泼我水，你也不是故意的，如果是故意的我当时就会还给你。"

我正想用个笑脸来对她的大度表示一下赞赏，却没料到车子急转弯中，所有人压向我们这边，车厢里一片尖叫，而我们就被挤在门上给压了个扁，那时候，我想不脸红都不可能，我们的距离不能用没距离来形容，甚至可能比那些亲密恋人的拥抱更紧密，在那几秒中的转弯时间，我可以很清楚地感觉到她的脸贴在了我的胸膛上。

当车平衡后，我不自然地侧开了身体，我不敢看她，不知道她是不是也红着脸，不知道在那几秒钟里她贴在我胸前是不是听到了乱掉节奏的心跳？我把两只手撑在扶杆上，尽量把人群往里挤了挤——是想给她多一点点的活动空间，因为我感觉到她那么瘦弱的身体根本就经受不住强烈的挤压，转弯的时候她脸上的痛楚虽然一瞬即逝，但是我看见了，我也开始想那天食堂门前她以那么快的速度和那么大的力量扶起楠楠的事情，究竟是不是我的错觉！

她下车时，没和我道别，只看了我一眼就懒懒地从容地走进了城市里，而我才发现，这时候我离家的距离已经大大超过了学校离家的距离——再过两站就是这路车的终点位置了。

回家时，家里理所当然只有花脸等着我，在冰箱里随便找点吃的喂了自己喂了花脸，便迫不及待地打开 QQ 找到悄然，因为我的

心情真是有点迫不及待，我想告诉她在她的策划中青格和楠楠和好了，而且中间一些搞笑的情节都想说给她听，还有就是那个有一头卷曲头发的女孩，她被泼水时的眼神，她在看楠楠时的眼神，她在被欺负时的眼神……总之她的一切我都想告诉悄然，因为我知道悄然都能分析，因为悄然是"所有人"。

星期八：你知道你在线上的原因吗？

悄然自醉：？

星期八：是因为老天爷知道我太想念你了。

悄然自醉：毛病！

星期八：是真的，你听我给你讲……

我把青格和楠楠的事情讲给她听，她却轻描淡写地说那是意料中的，还说本来就没有问题的问题被解决了是不值得让我这样激动的，真是有点被打击的感觉，但是当我把青格和楠楠事件中无辜被牵连的女孩说出来时，特别还提到那些我弄不清楚的眼神时，悄然思考得比较久，我以为她是在帮我仔细地分析，结果她只发来一句话："那眼神本来没什么，是你自己的眼神有问题！"

这句话好有道理呀！如果不是我的眼睛要去留心别人，那她的眼神怎么能这样影响我？在我佩服悄然一语道破天机时，也发现这根本就是句废话——真是个狡猾的"所有人"，想不出什么东西来解释就用句看似真理而其实无理的话来糊弄我！

当我这么说的时候，悄然发来句："不好意思，被你看穿了，有进步啊！"

那天晚上和悄然聊得很愉快，我们都没怎么抬杠，只互相聊起家里的琐事，而我才知道，悄然转学到这边的原因是家里闹着严重的家庭革命，大人怕影响她的成绩才让她住在成都的舅舅家里，并在这边给她找了个学校暂时借读。

而对于我这种惶惶不可终日的迷茫生活，悄然很是哀，她说的确是有很多事情让人迷茫，但是最迷茫的不过是人本身——他始终都站在玻璃窗前感叹世界为何从容，却从不站在镜子面前审视自己为何连笑都显得空洞！

像以前一样，悄然在说了这话的时候，立即就附上自己也是如此想想而已，为何空洞，她也想不清楚……

和悄然认识已经超过了一个月，我们的聊天记录居然有一千多页，我想我读书以来写过的所有作文加起来可能也没那记录的字数多，但是就是这么多的文字都无法让我看清楚她到底是怎样的女孩，我只能模糊地说这个女孩可能很有思想，也有独特思考的方式，也许她还经历过一些思想上的挣扎，或许现在也正在挣扎中，但是她在我心目中真的很缥缈——她能说出很多让我也跟着思考的问题，也给我一些解决问题的办法，但往往到最后她都会说这办法不知道能不能解决些什么，即使解决了又怎么样？就是基于这些，我起码看到有一样东西是我们共有的，那就是对生活的不解！

这一个月的时间，我也习惯了在和悄然聊过天后关上门躺在床上胡思乱想，想着将来的日子，想着自己通不过高考或者通过，想着到大学里去学什么，想着毕业后找什么工作——只是想想而已。

这一夜，我依然如此想了想，但是我却怎么都无法睡实，脑袋里总是模糊出现悄然的几句话，或者在聊天版面里的那些表情，再不然就是那一头微微卷曲的头发，那种看不透的眼神，还有公车上

自己红过的脸以及那几秒里乱掉节奏的心跳……

到清晨我的状态还在似睡非睡中，这是我第一次失眠，为了两个女孩，也为了我所不解的一切！

（二）卷发、踢踏舞的眼泪 ● ● ● ● ● ● ●

国庆节放假的前一晚，学校举行了庆国庆才艺比赛，我和青格向来是对那些死板的歌舞表演兴味索然，但是苦于楠楠代表班级出了个英文歌曲的节目，为着死党身份我们俩都没敢溜边。

和我们想的一样，这场晚会的确无聊透顶，一个个比赛节目都像一颗颗安眠药催人入眠呀！听了楠楠唱的那首《昨日重现》后，舞台上一度出现几分钟的冷场——音乐没有，报幕的也没出来，我和青格就准备悄悄从礼堂里混出去，刚猫着腰到门口时却听到舞台上传出缓慢但很有节奏的"嗒——嗒——"声，虽然不懂什么舞蹈，但是一听这声音，连那个新世纪文盲也知道那是靠鞋子和身体表演的踢踏舞，青格停下来很是惊讶地说：我们学校谁能跳这种舞？莫非是哪个老师上的节目？

抬眼去看，舞台上的灯光变幻着神秘的色彩，那个弄出嗒嗒声的人，在移动聚光束下闪亮登场——迷彩裤，黑色紧身 T 恤，一头凌乱的卷发！她动起来，脚下就发出实在的嗒嗒声，一会儿慢，慢得像在溪边散步；一会儿快，快到让人感觉万马奔腾一样令人窒息，一会儿又静，静到让人不敢呼吸，像不敢打扰她的思考！

她的卷发随着身体一起舞蹈着，显示出自由与不羁，狂放与浪漫，也正如她娴熟的舞步一样呈现出来一个动感激情的时刻，直到她隐在了幕布后，那悦耳的踢踏声似乎还萦绕在整个礼堂。我在学

校里看过的文艺晚会和才艺比赛不计其数，这样跟新世纪挂上钩的又讨好观众的节目好像还是头一次，所以我想台下那些被安眠药腐蚀太久的掌声此时如此雷动一定是有道理的，这就是安眠药碰上兴奋剂的悲哀了……

"刚才激情昂扬的踢踏舞是高二五班的易悄然同学为我们送上的,让我们再次用掌声感谢她狂热的爱尔兰式浪漫而又激情的舞蹈。"

报幕员说了什么？易悄然？

这个被我用脏水泼到的，在公交车上遇见的，有一头浪漫卷发，有莫测眼神的女孩，她叫——易悄然！

不可否认，我当时的心跳绝对超过了一百五十下，易悄然，我理所当然就联想到QQ里那个言语犀利的悄然自醉，没有想到，让我失眠的两个人，她们用着一个同样的名字，不，在此刻，我甚至猜想着她们会不会是同一个人———一个在网络里有着让我想不通的话语，另一个在现实里有着让我看不透的眼神。

我早在心里想过，言语犀利的悄然自醉一定不会是个漂亮绝顶的女孩，但是她一定有着令人无法抗拒的吸引力，她也一定有双让人看不透的眼睛，不会动不动就笑，不会总是好言好语去讨人喜欢，相反她总是会用一句理智的话让所有人都凉透，而我想象中她喜爱的穿着，又几乎和现实里这个'干净'的易悄然如出一辙……

会不会？会不会呢？我心里打着鼓一样不能安静，悄然在QQ里不是说了吗，说她现在就在成都念书，她也是高二的，但是现实里这个易悄然是听见过我的名字的，如果真是一个人，那她在食堂里听见我的名字为什么又没反应？难道是我恍然一听到天天在心里飘浮的"悄然"这个名字，或者我刚好也对这个卷发的女孩很注意，才故意要联系在一起？

不不不，我觉得这一定不可能是巧合，这两个人从各方面来拼凑都觉得就是一体，我得去问问悄然，问问她的真名字，问问她在哪所学校念书……

"啸——"

和青格走到门外时，他突然叫住我："你看，是那个女孩！"

我往礼堂后门望去，的确是那个一头卷发的易悄然，她坐在花台边上，卷曲的长发遮盖了整张脸，手上拎着刚脱下的踢踏舞鞋。

青格拉着我便跑过去，那家伙一直都对易悄然在食堂"救"了楠楠的招数颇有兴趣，这时候恐怕是庆幸有个搭讪的机会要去请教了。

"嗨，易悄然，你的舞跳得真霸道！"

当她抬头的时候，我和青格都吓一跳，在温和的月光里，她泪流满面。

"你怎么了？我们可不是来骚扰你的，我我……"

青格以为是我们的鲁莽吓到了她。

"啸——"

我的名字，我的这个只有好朋友才叫的代号，从这个女孩嘴里喊出，我知道了——

"悄然？"

她揩掉泪水点了点头："啸，帮我个忙……"

晚会结束后，我和青格终于找到了楠楠，那家伙一直在等着拿奖呢，结果她的歌拿了个第三名，她也告诉我们跳踢踏舞的女孩得

了最高的特别奖，但是没见人去领奖品，很是遗憾地说本来想认识认识那个女孩的，也该向别人道歉以及道谢的，一路上那个啰唆的话就没停过，直到我们在学校外的"冷啖杯"见到悄然时，她才张大了嘴巴——"啊？是她……"

楠楠小声地知会我们，却看到我们坦然地走到悄然面前坐下，那家伙手里刚领的奖品哧溜就落在地上。

"你们在搞什么？我怎么什么都不知道？"

楠楠在我们的招呼下坐在位子上还弄不清楚状况，但是何止是楠楠搞不清楚这一切，我了解的也不多呀……

而那顿夜宵吃到最后，我们都没能知道悄然为什么称请我们三人吃饭为"帮她一个忙！"整个过程里，她只是介绍了一下自己，剩余时间就是我和青格在那里活跃着气氛，当然大部分是讲我们在网上那搞笑的相遇，果然如我所想，悄然不是个爱笑的女孩，她偶尔点个头都可能是为了照顾我们的情绪，只是她还是不经意就去打量楠楠，那种眼神我依然无法看出端倪。

于是我猜想她是不是一个人刚到成都没有朋友，或者是在舅舅家里觉得很孤单，还是她曾提到过的家里的什么革命，反正不管怎样，我知道她一定是遇见了什么情绪，她不开口说出来，我会像在网上一样绝口不提，我想我们之间还是有了一定的默契——觉得对方能分享的时候，自然会说出口。

我以为我们这样从网上走到现实，悄然会像我一样激动万分，也想和我畅谈一番，事实并非如此，夜宵结束得比我想象的还早，悄然邀了楠楠去操场上散步便撇开了我和青格……

"你说她们两个会聊些什么呀？她们又不认识！"

在盥洗室洗脸时，青格还问着一路上都问着的话。

"都说了不知道了，我也纳闷，要聊也是该拉着我去聊，她是我的网友呀。"

我确实比较想不通，这个家伙怎么能对我们的缘分如此看淡，虽然她是早知道了我，但是也不能在我刚知道她时跑去跟别人打得火热呀，你说楠楠是个帅气的男生倒也无可厚非了，可是帅气的男生是我呀！而且楠楠还是个女生，还是个让女生都心生妒忌的优秀漂亮的校花呢，怎么能叫人想通？

"你说你那克星会不会是同性恋呀，怎么对我们楠楠那么感兴趣？"

"你才同性恋呢,每天黏我那么紧都不晓得你是不是真有企图。"

"哎，我是说真的，我们去看看吧，万一她们俩一个嫉妒对方太漂亮，一个嫉妒对方舞跳得太好，最后打起来怎么办？"

"就是就是，还是去看看的好！"

其实，我想我和青格的好奇心已经可以杀死几千只猫了——本来就算是不知道那个卷发女孩就是我的网友，凭着她的眼神，凭着她救楠楠那时的身手就足够吸引我们两个人的了，而今天她的眼泪，她的舞蹈，还有她那样冷清的人居然主动约了楠楠……

于是两人扔掉毛巾就贼头贼脑地溜到操场上，想知道这两个性格迥异的女孩到底都能聊些什么。

悄然和楠楠在灯光篮球场上，看那样子，楠楠是在学踢踏舞，我们躲在远处的看台后都听到她悦耳的笑声了。

"啸，我们也去学吧，大家一起好玩。"

"去你的，人家悄然要是想跟我们一起,先就不用只喊楠楠了。"

"女生都这么小气，人多了不是更热闹嘛。"

"你以为谁都跟你一样喜欢胡闹？"

"是啊，我胡闹！不知道是谁每天都跟我一起呢。"

"……"

悄然和楠楠可真能折腾，在操场上跳了一阵又坐下去聊天，一会儿还一起唱那首经典得连青格那文盲也听过的英文歌《此情可待》，只是可怜了我们这两个做贼的，连头发尖都此情可待像是麻木了一般，这时才感叹——做贼也不是件容易的事，就连偷"看"都这么难过，别说那些偷其他的了。

大概过了一个小时光景，两个丫头才同行着回了宿舍，而我们俩不敢继续跟踪，便同时想到回宿舍给楠楠打电话，叫她出来交代情况。

楠楠出现在我们面前时很高兴地向我们展示悄然给她的礼物："看，悄然今天就是穿着它跳出那么精彩的舞蹈的，她送给我了，我的脚也正好能穿呢。"

"给我一只——"

"给我一只——"

我和青格一人抢了一只拿在手中仔细打量起来。

"哇，这么硬几块钢片，拿来打架可就无敌了。"

青格马上就发现了他感兴趣的东西。

"嗯，就是，可惜码子太小了，穿不进呀。"

"笨哦，把钢片弄下来上到我们鞋上不就行了！"

"对对对——"

网络中你飞扬跋扈，现实中对我泪流满面……我与你虚幻还是现实？

"你们两个除了打架还能想到什么，还给我，悄然是送给我的，别说是上面的钢片，就连上面的灰尘都不给你们。"

楠楠抢回舞鞋还一人给了个白眼。

"什么了不起，我们明天自己去补鞋摊上钉它个几十块，看谁更牛！"

青格很不了然。

"哎，悄然和你到底都说了些什么呀，在操场上折腾那么久。"

我忍不住还是先开口问了。

"没什么呀，就是教我跳了会儿踢踏舞，然后就说把这鞋子送给我，然后就问我会不会唱《此情可待》，然后就一起唱了，然后就回宿舍了。"

"你们都没聊到其他方面？"

"还其他呢，悄然根本不爱讲话，但是我感觉出她对我很亲切。"

楠楠这么说，我突然想起那么多回悄然看楠楠时的眼神仿佛就是包含着亲切的，但是为什么她对楠楠要亲切？因为楠楠长得讨人喜欢？要是这个原因，那我长得也不招人讨厌呀，她完全可以只排挤青格一个人的。

"唉，我们还以为她会对你讲她为什么不高兴呢。"

"悄然不高兴？"

"是啊，我和啸看见她时，她表演完节目在礼堂外发呆，还流着泪呢！"

"啊？她根本就没提起过任何事情呢，那我去问问她吧，她在这边可能都没什么知心朋友的。"

"别去了，悄然喜欢一个人过滤东西。"

我想，我还是比较了解她。

青格和楠楠对悄然表现出极大的兴趣，猜测着她不爱笑是不是遭遇过什么伤心事，舞跳得那么好是不是以前是专业学舞蹈的，而她对事对人都那么冷静是不是见多识广，她的年龄是比我们大还是比我们小……

而这些，作为其中算是最了解她的我也都不得知其一二，我一直想着她一段狂热的踢踏舞后流下的两行泪，她的泪、她的情绪是不是踢踏舞带来的？

这一夜，我为着悄然在我生活里出现再度失眠，脑子里混乱得像堆麻，想着和她的前前后后，想着我们在网上的唇枪舌剑，想着我们在校园里的几次碰面，我也想到她在 QQ 里那段话——风来了，带走我身上的尘土留下了我，我干净了却不高兴了，不高兴为什么风带走的不是我而留下的不是尘土！谁会愿意留在这孤单的地方？

易悄然、悄然自醉，你为什么会在喧闹的氛围里孤单地流着泪？

（三）要的都是信任？

国庆大假对我而言显得几分冷清，老爸老妈依然忙着生意，只拿了点钱给我让我自己和同学去外面走走，但是我的朋友们却弃我而去，楠楠跟着她那个爱旅游的老爸去了九寨沟，青格则被他老妈押着走亲戚，只有我和花脸窝在家中相依为命。

其实，我曾经在失眠那晚打过这样的主意，想趁着放假，约上悄然去公园或者游乐园转转，但是只是想想而已，我不敢说出口，而现在我想即使我说出了口，这也是个无法实现的想法，悄然在大

假第一天，也就是跳过踢踏舞的第二天早上给我留了言说是回乐山去了。

在家里才呆上两天，那感觉就像回到了暑假时的无聊，除了看看花脸就只能看着那个方脑袋的电脑，而电脑也没暑假里那么有吸引力了，在悄然的潜移默化下我发现自己一进入游戏便会想起些什么未来、将来的字眼，而不能全心投入于厮杀当中。今天也是一样，刚把传奇打开就发现对话框中出现了那条游戏里经典的"鹿骂"——醉银剑！

我都没想到自己会想逃一样地关掉了游戏，好像慢一点就会看到悄然那双眼睛又要对我露出不屑。这样想着的时候，我竟然自嘲地笑出声——是什么时候有的这种感觉？会害怕起一个比自己小的女孩子，害怕她对自己有不好的看法，害怕她认为自己闲得无所事事，不管怎样，自己刚才那不经意关掉游戏的举动让我不得不承认，悄然真正是影响到我了，她的话的确可以让我减少对游戏的入迷程度，但是，却万分之万地让我增加了对 QQ 的兴趣——整天开着电脑，除了想起她时就给她发条消息，再或者就是想第一时间获得她的消息。

又一天过去了，爸妈从批发城回来时看见我在书桌前温书惊讶得不知所以，老爸破天荒没在回家第一时间去洗澡而是让我陪他杀盘围棋，妈妈也围在旁边看，理所当然输的人是我，但是老爸在收棋时看着我说如果不是太忙真想可以一家人出去走走，那让我心里一酸，一家人出去走走？这样的愿望在别人家可能不算什么，但是对于我们家就是奢望了，刚上初中时爸妈都下了岗，家里过着艰苦的日子，东拼西凑点钱开始做生意，到如今可算是出了头，在黄金

地段、黄金批发城里有了两个黄金铺位，家里有了车，有了漂亮住房，一切都让亲戚朋友们另眼相看了。

其实，我是很想爸妈能带上我到外面见识一下的，不说见识，就是哪天到公园去晒晒太阳也不错啊！想是这么想，但是我怎么能说出口，他们为了家为了我那么操劳，我那个晒太阳的要求也没什么太大意义，何必为难他们呢，这道理我在初一时候就懂了，所以现在都高三了，更没有说出口的理由。

下了棋，爸爸去洗澡，妈妈在灯下清账，花脸在她腿边转悠，我则站在阳台上胡思乱想着……

第三天，我居然一口气做了两套物理练习题，尽管不知道正确率如何，但是这样用心学习的情形对于我来说确实屈指可数，而且大多是在考试前才出现。在冰箱里找了罐汽水奖励自己的变态行为，汽水在喉咙里发出咕噜声的同时我也听到自己房间传出 QQ 消息的声音，我对那声音特别敏感，因为我在想起悄然的时候，脑袋里就总是没来由地要响起那种声音，而此时，我都怀疑是不是又是自己产生的幻觉？动一动鼠标，我的心情和黑的屏幕一同亮起来——悄然她终于想起我了！

"啸，你过得好吗？我过得不好，从回到家就一直都在想事情，真的想不通了，连想的力气也耗尽了，你来陪陪我吧，陪我去走走，我真的连个朋友也找不到，只想到了你。"

对我说这样的话，真是感觉受宠若惊，但是，天哪！这是怎么了，这种话居然从我心目中那个倔强坚强而又冷静的悄然嘴里说出来，到底发生了什么？

谁
恋
爱
谁
孤
单

"悄然，你怎么了？"

"你来不来？我想去看看峨眉山，但是我一个人不敢去。"

"来！"

我几乎不做任何思考就毅然决然地答应下来，悄然没和我聊多久，只是告诉我电话号码，说是第二天早上在车站等我。

想着要和悄然在乐山见面竟然捏了一把自己的脸，有点疼才知道并不是梦，接下来的等待时间是兴奋而又漫长的，我很高兴她在不开心的时候唯一想到的朋友是我，但是我也担心，不知道她究竟是为了什么不开心，也不知道自己能怎样去劝慰，怎样帮她分担情绪，这些还不是最扰人的，我还担心自己的钱够不够，心里盘算着该怎样向老爸一次性要个三五百，要命的是他在放假那天就已经给了我两个二百五了。

这天晚上爸妈回来时，我依然在书桌前，见我没像从前那样迎接他们，老妈跑到屋里来。

"小舍，还在用功呢，最近你好像都没怎么打游戏了，厌烦啦？"

我笑了笑没说什么，确实不知道该如何张口要钱。

"你怎么了，你那表情好像是有什么事吧？"

知子莫过母呀，看我的表情也能知道我心里的花花肠子。

"妈，我想去乐山玩一圈。"

"去玩呗！"老爸也围过来，"和青格一起？"

"不是，我一个人，那边有个朋友。"

"朋友？"两个人互相看一眼，我大概能猜到他们想些什么，一定是在怀疑那朋友是何许人，是男生还是女生。

"说是去玩，其实就是去看看她，她家里出了点事，我陪她到

峨眉山去散散心。"

他们又互相看了一眼，老爸终于还是问出了口："你除了和青格楠楠一块儿，哪儿又出个朋友啊？"

"也是我们学校的，二年级，挺优秀的一个学生。"

再互相看一眼，老妈又说："是个女孩？"

我点点头，我都不知道自己为什么在父母面前不会撒谎，我想如果我说自己就一个人或者跟青格一起，那肯定就没有任何问题，但是那样自己心里就打个疙瘩，而现在我估计这个疙瘩是打在了爸妈心里，卡得他们半天说不出话来。

"你说怎么样？"老妈问老爸。

"啊？"老爸看着我，却不知该如何。

最后，两个人跑到卧房研究一阵，由我爸做代表来给我回复。

"小含，我和你妈妈商量了一下，觉得你也到了自己拿主意的年龄了，既然你觉得你的朋友值得你去关心，那你就去，你们这一代成熟得早，很多事情都耳濡目染地吸收了，还好呀，我们儿子还比较懂事，我们信任你，也希望你值得我们信任，做事情要考虑分寸。"

"爸，我知道。"

我以为事情就这样解决了，以为我以诚恳的态度就能轻易获得援助，哪晓得姜真是老的辣，老爸只是以信任为开头来引入我们两父子的第一次触膝深谈——

"小含，我们平时因为忙生意，也没能陪你出去玩，心里总想着等你放假一家人就去旅游旅游，结果一次推了一次，转眼你都成

了大人了，这愿望都还没达成，唉！"

心里想着老爸这个圈子绕得可真够大的，其实他谈话的目的肯定就是要给我上堂政治课，可能这是生意人的特点吧，习惯了把你在不知不觉中套住，让你挨了宰还发自内心地对着他笑。但是当我把自己面前的人当成生意人时，立即就惭愧，这可是我老爸呀，亲人面前还讲套儿？

"爸，不说这个，出去旅游的机会还很多嘛。"

我没信誓旦旦地说什么自己念了大学，工作了就可以减轻家里负担，就可以一家人出去旅游之类的话，因为这可能就是老爸下的套儿——我怎么又想到那里去了？

"也是，将来你念完大学，家里就轻松许多，我们就一年出去旅游一次，你妈妈这些年可也真累坏了。"

看吧，果然被我料到了，我的天，我要怎么说？说你们放心，我一定考个好学校，认真读书……不，沉默是金！

"……"

沉默里我的眼神显得悠远，像是在认真考虑自己的"大事"，老爸笑起来。

"好了，儿子，我知道你也比较懂事，有些问题已经意识到了，但是有的事情不一定要说出来，自己在心里琢磨，你也总会有机会去实践的，人这一辈子呀，很多事情都是不能预料的，不管是生活也好，事业也好，当然还有爱情，就拿我和你妈妈来说吧……"

老爸终于还是说到正题了，他第一次像个朋友一样给我讲起自己的生活经历，讲起成长里面对的抉择，他和妈妈的爱情故事其实我小时候就从奶奶嘴里听过了，很是巧合很是坎坷很是、很是幸福

吧！说幸福其实那是因为经历过的磨难太多，最终有这样的结果而对比出来的。

爸爸和妈妈都是多子女家庭出身，而且两边的家庭环境都很差，他们两个又都是家里的老大，理所当然在十五六就成了家里的好帮手，放弃就学的机会出门打工帮着供养弟妹，就是那时候他们在同一家工厂里认识了，老爸喜欢我妈的朴素大方，我妈就喜欢我爸热情助人，而且两人的家庭环境十分相似，很容易就拉近了距离，以朋友身份相处了四五年。但是据我奶奶讲，后来工厂厂长看上了我爸的勤快老实，想把自己女儿介绍给他，而我妈就更牛了，有个高干子弟对她殷勤地巴结。当时两个家庭都想着能找个情况好点的亲家，于是坚决反对爸妈来往，甚至到了以死相逼的地步，结果那样都没能阻止爱情的脚步，两个人私下跑到乡里开了结婚证明，办了结婚证，但是那时候并没真正住到一起，原因是他们想着一定要帮弟妹完成学业之后，得到家里肯定才重新摆喜酒，而他们就真做到了……

当初我听奶奶讲起自己的儿子和儿媳妇时，她眼里满是爱怜、满是歉疚、也满是欣慰，那时候我也不过十一二岁，我完全理解不了那段故事里的辛酸，或者现在我也不能了解，我只是从奶奶的笑容里知道了我的爸爸和妈妈是最好的，而此刻我从爸爸嘴里听到的最正宗的属于他们的故事里，重点不是在美好里而是面临问题时的态度上，我知道爸爸是在教我道理，他想让我知道人在什么时候应该以什么为重，他也想让我知道生活在自己手里，可以一手创造出美好，也可能一手毁了本来的美好。

但是爸爸先前的话也说得对，很多事情需要放在心里琢磨，也需要机会实践，而我也知道他这样用心良苦地跟我用套儿，其实就是突然发现他儿子已经长大了担心出什么乱子，他一再地提到信任问题，也就是希望我可以做出值得他们信任的事情。

爸爸和我聊了足足有两个小时才带着一天的疲惫去洗澡，妈妈给了我五百块钱，依然叮嘱了一番不能乱花之类的，而至于出去了怎么处理问题就没像以前那样唠叨了，我想我在他们心目中的确是长大了点吧！

（四）悄然而醉 • • • • • •

两个小时的车程就到了乐山，下车第一时间我就透过候车厅的玻璃门窗看见了悄然——她那一头看起来总是随意的卷发很是显眼！还是一件简单的 T 恤，还是蓝色牛仔裤，还是那么干净也那么的安静，不知道她坐在那里想些什么，车站里熙熙攘攘的人群似乎一点也没能破坏她独自一人的境地。

我很轻巧地走到她跟前，没想到她突然就抬起头，并且露出一个很淡很淡的笑容，这是我第一次看见她笑，真的很好看，我都不知道该怎么形容她的笑容甚至是其他一切，就比如我只能说她很随意，很干净，很安静，当然那天晚上跳踢踏舞的时候她也显示出不一般的热情，还有她看楠楠时那种亲切……

"还以为你不会留意到我呢，你那么专注在想什么？"

"留意到你，是因为你的步子太轻了。"

"轻还留意到？那这周围来来往往那么多人不是更打扰你发呆？"

"错了，磁铁听过吗？同极相斥，异极相吸。"

"你是说我们是异极？互相吸引？"

这话一出口，我就知道自己说岔了，而且味道还挺那个不清不白的，我也得到了个意料中的白眼。

"你就不能联系问题来思考吗?"

不就是联系得慢了点吗，其实我反应了几秒钟就想到了，悄然是说她的安静与我轻巧的脚步是同极，所以她能在喧嚣里安静，却被我故作的轻巧给打扰了，我傻笑着说出这想法，悄然才又笑了笑，还是那么轻。

由于我到的时候已是中午时分，直接上山就会太匆忙，所以我们决定先在乐山闲逛顺便看看大佛再乘车去峨眉市住旅馆，第二天一早便可以从容爬山。而悄然也并没把我带到大佛跟前去，只是沿着岷江远远地观望，她说这样起码有三点好处，一不用花钱，二不用在旅游旺季跟游客挤，三呢是可以继续对它保持神秘感觉。而我觉得悄然不想走到大佛跟前去的原因主要是第二点，她不喜欢太过喧闹的环境。

是啊，像这样也挺好的，隔着一江水，吹着习习凉风，我们看见了那些在大佛脚下的人看不见的风景———尊庄严的大佛安静地坐在睡佛的心脏位置，还有佛上的云、佛前的江水、佛中的人们……

"是不是有点隔岸观火的感觉?"悄然望着被称之为睡佛的山。

"……"

"不是吗? 那么多人顶着烈日排成长龙，你挤我我挤你，看什么风景? 看疯景罢了!"看我不解便又加了句，"疯子的疯。"

"有道理，那你说这时候峨眉山也会是这种情况怎么办? 你又

谁 恋 爱 谁 孤 单

不喜欢跟人挤。"

"想去之，必先安之！"

"……"

这都是些什么歪道理呀，矛盾死了！先前说是宁愿站远了看风景，这会儿又要抱着安然之心去等待挤人与被人挤。想是这么想，但是我不敢说出口，跟她抬杠我只能自己准备棺材，一说到抬杠就又叫我想起在聊天室里我们的相遇，禁不住笑起来。

"有这么好笑？"

"不是在笑这个，突然想起网上的你，那个你，真的和现实里联系不到一起，差别太大了。"

"人都是多面手不是吗？"悄然侧头看着江水继续说，"特别是在网络那个虚拟的平台更是让人想怎么变脸就怎么变。"

"都说网络虚假，但是我觉得有一样是真的。"

"什么？"

"可以反映一个人当时的情绪，或者她潜在的情绪。"

"应该是一个人渴望的情绪。"

渴望的情绪？那悄然的意思是在说她渴望自己是那个喜欢恶作剧喜欢跟人斗嘴的快乐女孩？反着来说也就是——她不快乐！到这时候我才想起自己来乐山的目的便是陪她散心，而今天她的笑容却几乎让我忘了她是带着无法排解的情绪的，我又一次想，这个女孩为什么能把情绪转换得如此快，可以在欢快的舞蹈后流下两行泪，也可以在别人以为她该是伤心憔悴时露出平日都难得的笑颜，她，真是太难以琢磨了。

我一直没开口问她到底因为什么有了情绪，虽然我很好奇，也很想知道关于她的一切，但是我想多看看她的笑容，也不想让我们的相处变得沉重，或者在我们尽情游玩之后，她的情绪就自然好转也不一定，何必要故意提起？但是尽管我没问起，悄然自己也没说起，但是她开始少言寡语、开始专注于某种思绪在我们前往峨眉市的路上。

悄然坐在右面靠窗的位置，为了照顾我的情绪，她在先前还特意讲了些晚上的安排，说是带我去吃一家味道很好的烧烤，带我去一家网吧我们坐在一起打打游戏，讲着讲着她就说有点累了要静一静休息一下，之后她从包里取出 CD 机让我听音乐便把头扭向了窗外。我猜她一定是想起了什么，而且多半是因为这条乐山至峨眉的路线，她总是会转着头看那些一闪而过的东西，是房子？是路边的田地？是远处的山或者只是根电线杆？我随着她的目光望去，却不知道究竟是什么吸引了她的目光，我本来想问一问，但是我又怀疑这一问真就问到了她的伤心处，毕竟我还不知道她的情绪来自何处。

和悄然相邻而坐致使 CD 里的音乐完全进不了我的耳朵，我不由自主地仔细观察她——鼻子很挺，睫毛很长，眼角微微上扬，嘴唇最好看，不像是涂抹过唇膏却泛出淡淡的粉！早先我就在心里猜想过悄然自醉的模样，想她一定不会太过漂亮，但是绝对有吸引人的地方，而我现在知道了，她最能吸引人的便是那双总是透着神秘的眼睛，让你怎么也看不出它究竟隐藏了些什么。

我想，如果是把悄然和楠楠搁一块儿，那男生会将目光停留在谁身上？也许这样比较本身就太可笑，人和人怎么能比较，各人有各自的长处，而我也不知道其他人会更欣赏哪种类型的女孩，但就

我个人而言，我想我第一眼可能会注意到楠楠，她确实长得很出众，神情也很温和，但是如果我第二眼看见了悄然，那第二眼以后的所有目光都一定会留在她身上，这可能不是"如果"的问题，我想事实确实如此……

"看那棵树……"

在要到站的时候，悄然突然转过头来将我专注于她的目光逮个正着，我想我当时的表情极度不自然，而且脸也飞快地红起来，立即就将视线转移到她手指的方向。

"那棵梧桐?"

悄然的脸也瞬间绯红，也就快速转了回去，说道："对，那上面有我的名字!"

"你来过这里?"

"去年这时候。"

我想我先前的猜测是对的，她的情绪从上车之后开始出现，那一定就是在看旧物，想着旧事。

按照我们的安排是下车后先去找家旅馆把行李放下再去吃饭和打游戏，可是当我建议就在车站旁那个显眼的旅馆住下时，悄然却执意去别家，说是车站外的旅馆多半比较贵，而我留意到门外的牌子上明码实价地标着"住宿每人二十元"，最后我们落脚的地方却是每人五十块。

在我的想象中，悄然在吃东西的时候一定也是慢条斯理举止优雅的，而那天晚上她请我吃夜宵时也的确是那样子，但是当我们坐在烧烤店里时，我才发现她夸张起来还真是令人瞠目，首先，她用头绳把一把卷发扎在了脑后，等烧烤一端上小桌便一手拿一串左吃一口右咬一嘴，还不停地让我快吃，还一边跟我说什么这里烤的鱼又嫩又入味，这里的烤的鸡腿是先卤过的，等等，吃到中途，我估计是大量的辣椒让她口干舌燥，觉得喝茶都不过瘾了居然伸手招呼老板上两瓶冰冻啤酒。

"你会不会喝酒啊？"

听到她这话，我差点被嘴里的食物呛到，我会不会喝酒？天哪，我只记得小学时候我就一个人在家里把老爸攒在那里舍不得喝的两瓶红酒当饮料，一股脑儿地喝个精光，结果在沙发上就睡了一整天，爸爸回来喊不醒我，急得叫救护车。后来初中遇见青格那喝马奶酒长大的家伙，更是不得了，我们叫酒那不是酒，是解渴的饮料，当然白酒除外。

"不喝就不勉强你，我帮你喝了。"

见我差点呛到，悄然多半以为我是给酒吓的。

"我喝酒还行，况且只是啤酒嘛，倒是你会喝酒才让我意想不到。"

"我们家有个饭店，有个茶楼，你说我能不会喝酒，闻都闻会了，况且只是啤酒。"

悄然学着我的口气说了最后一句，没将酒倒进杯子而直接拿着瓶子跟我一碰便仰头喝了一大口，那架势、那豪爽劲儿直逼青格。

"不要以为我是酒鬼，去年喝过三次，今年还是第一次。"

虽说我相信她很少喝酒，但是她的酒量的确不小，那一瓶啤酒之后，她又要了一瓶，也是那样大口大口地喝个精光，然而一点醉意都没有，她跟我说老板还是原来的那个，连这些小桌子小板凳也没换，还指指那个破旧的灯箱招牌，说那上面那个烧烤的"烤"字掉了个火字旁，我抬眼一看，果然到今年此时也没重新贴上。

　　看着悄然因酒而微微绯红的脸蛋儿和她说话时快乐的表情，我不禁要去想象去年此时她在这里的情形，是和谁一起呢，她的男朋友？这样一想，心里莫名翻起一阵酸，这是完全有可能的，像她那样能吸引我的女孩一定在很早的时候就吸引了很多人，当然她会选择一个最优秀的，然后在去年国庆时让他陪伴着一同游玩，他们经过了这里，他们也在这里歇脚，住的地方一定就是那个她坚决不去的旅馆，而那棵车站不远处的梧桐上刻着的名字一定不止悄然一个人的，还有他的，可是为什么今年悄然要约上我这样一个不算太亲近的人来故地重游？她的他呢？他们分手了？还是他……

　　"在发什么呆啊？吃饱了，我们去那家网吧打打泡泡堂吧！"

　　悄然指着我们对面不远处的网吧，而我想，去年他们肯定是在吃了烧烤后就去了那里打游戏消遣夜里的时光。

　　坐在网吧里，悄然很熟悉地直接进了泡泡堂三区紫水晶 13 号房间，我立即想起我们第三次在网上碰面她就是让我陪她在这里玩的，现在我终于知道她游戏打得那么差，也完全像是对那游戏兴趣不大却还是经常去这个特定的地方看看的原因，那是因为她在怀念过去，这肯定是她的他带她去过的地方，而此刻她专心地对付着那些泡泡，脸上呈现出异常兴奋的表情，就像个无邪的小孩，我却在游戏里连连自杀，因为我的心思完全陷在莫名其妙的猜测当中。

　　那一夜我躺在旅馆的床上，莫名其妙的思绪依然萦绕在脑海，觉得这一切都像在做梦，这个叫易悄然的女孩，她到底有什么样的故事，什么样的过去，经历过怎样的快乐或者不快乐，她为什么就这样令人难以猜测，而这样难以猜测的女孩却偏偏这样神奇地闯入

我的世界，而且在最显眼的位置驻扎下来。

悄然房间的灯在我半夜里醒来时还亮着，她是醒着怀念过去还是睡着不关灯？她怕黑吗？而我醒来之后就再也没睡着过，我还是想着她，这样的夜也只能想着她，只是我不再猜测她的过去，只是想着她在聊天室里捉弄我，在教室外不屑地看着我，在车站里对我微笑，在烧烤店里陪我喝酒，在睡前对我说可能真有点醉了……

我不知道到底是谁醉了！

（五）九道拐遭遇Ｓ步伐 • • • • • • •

我是第一次到峨眉山，以前在电视里偶尔看过，在书中也读过，知道它是以秀闻名的，想着马上就要上这世界名山了，心里确实有些激动有些兴奋，却没料想，在售票处就先开了眼界，为啥？你看我和悄然的门票呀，都是大好青年，为什么她的是十块钱，我的却是一百二？

"那卖票的男人太过分了，看见漂亮妹妹打折那是应该的，但是看见比他帅气年轻的就涨价就太没肚量了吧！"

刚进山门，我就极度夸张地形容起来，把悄然逗得哈哈大笑。

"人家这是有规定的，乐山本地游客当然应该享受优惠价呀，你自己又不带上你成都的学生证，带了就只要六十了。"

"真的啊，那就是你不对了，不早提醒我，害我突然间难以接受如此不公平的待遇。"其实，我哪能不知道，只是故意在逗你开心罢了，傻丫头！

"好，算我不对，今天我们到洪椿坪就可能快天黑了，在那里我请你吃斋饭谢罪吧。"

"不是吧，谢罪那得大鱼大肉啊，怎么还让我享受和尚待遇，不行，这哪叫谢罪，明明是另一种变相虐待。"

"呵呵……"

都说了，她的嘴巴最好看，特别是笑起来的时候，她真的该时刻都笑着。

在路上，遇见两对高大的外国情侣跟我们打招呼，真是高，我都 180 厘米的个头还得仰着脑袋看他们，何况是身材娇小的悄然，那简直是把脑袋都仰到了极限，当她也发现自己瞪大眼睛惊讶着别人高度的模样有点搞笑时竟然笑弯了腰，然后就轮到我和那几个老外一起瞪大了眼，比悄然刚才瞪得还大——她，她怎么能对着他们冒出一大串的外语，而且还顺溜得像在说母语一般？

那几个外国同胞和我一样愣了起码半分钟，其中一个竖起大拇指说了个我能听懂的："GOOD!"

悄然和他们聊得很投机，说话间他们也时不时地打量我，还一起嘻嘻哈哈的，而我就像个傻子一样也跟着嘻嘻哈哈，在山路边的一家餐馆他们要请我们吃饭，但是我和悄然都吃过早饭的，便说我们先走着，让他们吃了饭来追我们。

"你们刚才是不是说了我什么坏话？"

"谁说你坏话了？人家是在问你是不是我男朋友，说你长得很帅呢。"

"是吗，有国际认证总是好事。"

我知道这句话是有点不要脸了，当然换回的是个白眼，其实，我也很想知道她是怎么回答男朋友问题的，但是怎么可能问得出口，没来由啊！

"真不敢相信你英语讲得那么好，绝对可以超过我们老师了。"

"这很奇怪吗?国外三岁的孩子都能利索地讲他们自己的语言。"

"晕，那人家本来就是长在国外的，我三岁时还能利索地讲中国话呢。"

我话一讲完，才突然想起她的话——国外三岁孩子? 那她是在国外长大的? 我瞪大眼睛看着悄然：　"不会吧? 你……"

悄然摇摇头：　"我知道你猜错了，我不是在国外长大的，但是我外公住在爱尔兰，我小学时候就在那里念过三年书。"

"原来如此，但是三年时间真就能学会那么多? 我学英语都六年了，怎么什么也说不出口?"

"把你扔在海里，看你学得会游泳不? 都是环境的因素，当你眼里耳里充斥的都是英语，想不会都难。"

"有道理，那你的踢踏舞也该是在那时候学会的吧!"

"这个倒是在之前就学过，我妈妈在我很小的时候就开始教我了，她呢，是从我外祖母那里学的，我外祖母是个正宗的爱尔兰人，她们整个村庄的人都爱跳舞，我外公是在留学时候认识她的。"

我再看看悄然，这时候才发觉她的眉目之间的确有那四分之一的混血味道，而我现在也肯定她那一头微微卷曲的头发是天生的。

"真是羡慕你，有那么丰富的生活经历，难怪你跟别人相比总有些不同之处。"

"不同?"

"嗯，很不同，但是别问我不同在哪里，我说不清楚，就像我总是猜不出你的眼神一样。"

"我的眼神有什么不妥?"

"不是不妥，是显得有心事或者想得很远也或者……"话还没说完，我就后悔了，因为我发现她的眼中又开始凝聚起忧郁，我想是我这句无心的话把她的心事放进了她的眼中吧，心中一阵忐忑："我……"我真不知道该说些什么来抹掉刚才那句话的影响，如果是在电脑面前就好了，直接把它删除就了事。

"谁没有心事呀，只不过我特别固执罢了，总想着要把事情想透彻才肯罢休，你难道没有心事?"

悄然看出我在为了她而不安，于是收住了突然的忧郁，朝我轻轻地笑了一下。而她的话还真把我问住了，心事? 我想我和青格那小子都是一个德行，有了什么情绪就会胡乱发泄一通，即使有心事那东西，也就几分钟就被发泄掉了，倒是在这一两月里心里开始装着一个人，也装满了关于这个人的一切问题，看着眼前这个人，我怎么敢把我这唯一的心事讲出来?

"我们男生都粗心大意，不爱想问题的。"

"说自己笨就好了嘛，什么不爱想? 是想不出或者根本找不到问题来想吧!"

"……"还真被这臭丫头给说中了。

由于我们一路上都闲闲散散，到了洪椿坪的时候已经能看见月亮了，不是悄然逼迫我吃斋饭，而是情况比较具体——其实洪椿坪整个就是一寺庙，所以不能开荤呀! 虽然不习惯那样的素菜素汤，但是因为游客太多，就连一盘茄子一盘土豆丝都是我去抢来才吃上，而且价格足够我们在家吃一桌子的荤菜了。

山上的温度很低，所以很多游客都选择了躲在自己的房间里，只有我和悄然在吃了饭之后还在庙门口吹着凉风看夜里的山色，而

夜幕中的峨眉山幽静而又庄严，甚至还带点恐怖，远远地能看见些星星点点的在移动着的光，而且就在洪椿坪的不远处也有，我十分纳闷。

"你看见那些光没有，该不会是鬼火吧？"其实我是想吓吓她的。

"是鬼火倒好了！"悄然望着山下那几点正朝我们一点点靠近的火光，隔一会儿又说："那是打着电筒寻找夜里爬山乐趣的游客。"

"哦，但是看着是挺吓人的，你胆子好像很大嘛！"

"即使真有鬼，也没什么好怕的，他们和人一样只是借助某种媒介证明自己存在，人依靠的是躯体，他们寻找的媒介却很多。"说到这里悄然转过来看着我："你认为有鬼神吗？"

"当然是没有啊，但是有很多东西、很多现象却又解释不了，说不清楚。那你认为有没有。"

"传说人在懂事之前，也就是一两岁的时候可以看见一些大人看不见的景象，也就是鬼现象，所以我一直认为，鬼是种干净的物质，他不喜欢人拥有的思想，因为人的思想里充满了欲望，欲望就使人变得不干净……"

干净？天哪，悄然说鬼是干净的物质，她却不知道我一直对她的形容也是"干净"，此时此刻，在这样昏天暗地，这样浓重黑幕、阴阴森森的大山之中，我面前穿着白色衣服的美丽女孩，她……就感觉脊背上凉飕飕地刮着东南西北风。

"怎么了？"

悄然看见了我的异样便问了句，这让我顿时惭愧，怎么能在个小丫头面前丢脸？

"没什么，只是想你是不是真相信有鬼，你那样说让人觉得你

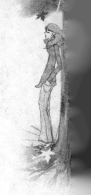

是在一两岁时候见到过似的。"

"我没见过什么现象，但是我以前一直相信这世界上一定居住着除了人以外的其他高级动物的灵魂，也就是鬼或说是精灵，也或者就是坏死了躯体的人残留下来的灵魂。"

"现在呢？为什么不相信了？"

悄然笑了笑，不再说话，望着已经靠得很近的火光唱起了在学校和楠楠一起唱过的那首歌——

oceans apart day after day

and I slowly go insane

I hear your voice on the line

but it doesn´t stop the pain

If I see you next to never

How can we say forever

Wherever you go

Whatever you do

I will be right here waiting for you……

我会唱这首歌，知道它非常哀伤，却没想到悄然唱出来会更加凄然，不知道是不是这山里的幽静与肃穆给衬托出来的，显得那样凄美。只可惜我没能听完整这哀伤，到后来简直转了一百八十度大弯，从北极跑到了南极——那些火光在悄然唱到一半时就来到了我们身边，而且他们也一起唱起了这首《此情可待》，欢快得几乎像百灵鸟，而刚才的夜莺就被这喧嚣影响得变了种类。

这几个打着电筒的人便是我们路上遇见的外国留学生，在异国他乡，在这样的夜晚，这样的黑色风景突然听见用自己的语言唱出的歌，理所当然引起他们的共鸣！结果那个晚上，我们便与他们共度了……我想他们是喜欢上了悄然，在第二天早上，竟然跑到吃饭的地方找我们，说是想与我们同行，但是悄然好像是婉言拒绝了，最后我们合了个影，便各走各路。

"唉，好像得到国际认证的人是你这个混血美女呀，国际友人主动邀你一道，为何拒绝呀？"

"反正到最后都不是一路人，何必多留些思念，思念那东西越少越好。"

"……"

我们依然闲散地走在山路上，悄然突然在石阶边一片紫色的野花前停步，看着她的变幻的眼神使我想起自己那个猜测——她是来怀念去年此时的，所以她才不愿和那几个友好的朋友同行。

"你说这花叫什么名字？"悄然盯着那些花问我。

"丁香花。"想都没想就说出口，其实，我根本没见过丁香花，也没见过眼前这种，只是当时很流行一首歌，歌名就是丁香花。

"怎么大家都这么说啊？"

"他也说这花是丁香花？"

"谁？"

"那你嘴里的大家是谁啊？"

悄然微微动了下嘴唇，最终还是没说出那个他，只笑了笑："你还很会观察嘛，好奇心也很大。"

"哪里哪里！你不是说我都找不到问题来想吗，我就开始找点问题自己琢磨呀。"

她笑了笑说："其实，这花我也不知道叫什么，而在今年我才听过丁香花那首歌，也就看见过了丁香花的模样，我们眼前这花在人的嘴里叫什么我到现在依然不知道……"

　　"在人嘴里？这是什么意思，难道还有其他动物嘴里的花名？"

　　"有个人说，人嘴里叫的那些花名都是人给花起的，但是只有花自己才知道自己叫什么，也只有它们自己才知道自己愿意有个什么样的名字，这名字可以是它自己起的，可以是它父母起的，可以是它朋友或者爱人起的，但是绝对不是人，人都没有和它一起同甘共苦，凭什么了解它的心情？"

　　看着我一脸茫然，悄然再笑了一下："是不是难以理解？是啊，说这话的人也是让人难以理解的，这人有一颗善良到让人无法想象的心灵！"

　　"说这话的人就是我嘴里的他，你嘴里大家的一员？"

　　"嗯！走吧，前面有九道拐、一线天，还有拦路的山猴，很多风景等着我们呢……"

　　一路上，悄然都不再显露她的情绪，表现得很快乐，不时给我讲着风景，讲着她以前在这里看到的某样奇特东西，我知道她一定是不想破坏了我游山的兴致，这样一来，我倒觉得几分内疚，说是来陪她散心，而现在她为了让我高兴却连情绪都不能坦然表露。

　　只是晚上我们在洗象池住宿的时候有点奇怪，在寺庙里除了看和尚们做功课念经外就没有别的娱乐了，但是悄然没让我像昨晚一样在吃了饭后陪她去寺外吹吹风或者散步，只是说她很累想早点休息，于是我也就回到自己的房间躺在床上发呆，胡乱地想着白天的

事情。

悄然说累让我意料不到，因为在黄昏时刻，当我们通过九道拐那么陡峭的地方时，我喘着大气在亭子里休息，汗水就跟水一样往下流，但是悄然脸上连一滴汗也没有，她静静地站在我身旁望着脚下走过的那些山路，呼吸平和得就像根本没走过疾步更不要说是爬过那陡峭得出了名的九道拐。说实话，当时天色也很晚了，前后也都没有游客，我甚至又想起前一晚我们谈论的那些鬼神之类的东西，也想着悄然说鬼是干净的，而我自己形容她是干净的，顿时脊背上又传出一阵凉意，要不是悄然后来说的话，我可能真要怀疑她是不是个妖精了。

当时她见我累成那狼狈样就讽刺我："看不出来呀，这么高大个小伙子，爬个山能累成这熊样。"

"还说我，我倒是在怀疑你是不是妖精呢，怎么能连一滴汗都不出？你……不会真对我说你是个妖精吧，这前前后后可都没人呀。"

"是啊，在这地方吃了你最合适不过。"

说着居然朝我做个鬼脸，这可是我意料不到的，那表情俏皮、可爱极了。

"看妖精你还这么大胆？眼睛都不眨了。"

"是啊，如果妖精都这么可爱那就不可怕了。"

"呵呵，我告诉你吧，知道我爬山为什么这么轻松吗？"

我摇摇头，但是确实非常想知道她不是妖精的理由。

"说你爱观察，其实，你根本没观察到对自己有用的东西，难道你没发现我在阶梯上是怎样走路的吗？"

说着，悄然就朝亭子前的阶梯走去，从阶梯左边上到右边，又

从右边上到左边，再回到右边——原来她走的不是直线，而是S形路线！

"上来试试！"悄然站在高处朝我招手。

于是，我也就那样学着走，左脚上一步，右脚便移到第二级的右边，左脚继续跨向第三级的右边，然后停住用右脚往左边走……真的，这样子上阶梯可以借助身体倾向的力气，而减少腿脚的受力！我快速追到悄然身边，像发现新大陆一样兴奋："真的不费劲！你怎么不早告诉我？"

"有些事情你不自己发现就少了乐趣，不是看你累成这样，也不想告诉你的，都奇怪你怎么跟我一起走了两天都没发现我走路的姿势不一样！"

"我是觉得你走路的时候，腰挺得特别直，走路有点摇晃，还以为那是你学舞蹈养成的习惯呢！"

"笨！往底下看！他们叫做背山人。"

我往身后一看，原来是个往山上背货物的老人正从九道拐上来，背上捆着个硕大的口袋，看样子起码有一百多斤，而他走路时的脚步就是像悄然那样的S步，当然他还多了根丁字形的拐杖配合着前行。

"老人家，歇一脚来喝口水！"背山人走到跟前时，悄然递上一瓶没动过的矿泉水。

"喔唷！你们从九道拐上来在休息哪！"老人憨厚地笑着停下来，把手上的丁字拐搁在了身后的木架上，用以承受背上的货物重量，我惊奇地发现，他的额头上居然也没有汗水！

"是啊，我们这位兄弟被九道拐给累得汗流浃背呢！"

"哦，走得慢一点，最好步子不要跨太大了，然后斜着走就不会太累！"

老人喝一口水给我传授着刚才已经从悄然那里学来的经验。而我也知道了悄然一定也是在爬山过程里发现了这些身背重物上山的人走这样的S步，所以我早说了，这个女孩她的眼睛不一般，不光是呈现出那种看不透的神秘，它也总是能发现别人发现不了的东西！

老人谢过我们的水继续上了路，悄然就继续传授整套的爬山秘诀给我，说是学会了走S步只是其一，其二呢是要一直保持平稳的呼吸状态，尽量要让呼吸变慢，因为快速呼吸本来就是一种消耗能量的运动，其三呢就是要注意转换，你不要老是想着山路很陡峭，想着路很遥远，你该去看美丽的风景，或者想这些风景给你的感受。

"这个也是你从背山人那里学来的？"我问她后两个方法。

"这个倒不是，第二点是我自己从实践里摸索的，第三是那个人说的，那个人……"悄然望着悠长的山路叹口气，"那个人总是把任何坏事都想成好事，任何坏人都想成好人，把任何友好的人都当朋友，把任何挫折总能转换成一种收获……在这条路上，就在这个拐角处，那个人对我说：'然然，你脚边有只蝴蝶，你总是那么漫不经心当心踩到它！'"她像在想念那个人，愣了一愣对我说："啸，你会喜欢那种人吗？"

"像你说的一样，他一定是个非常善良、心态非常好的人，我一定会喜欢他的。"

"我也喜欢，太喜欢了……"

　　她当时的神情让人看了就着迷，眼里全是爱慕——她一定是想着那个人的模样说出这句话的，想到这里，我在床上翻了个身，心里莫名其妙起来，突然又觉得自己很可笑，我有什么资格这样莫名其妙呀，有人喜欢她，她有喜欢的人那都是情理之中的事，只是我就是那么莫名其妙地妒忌着那个让她说出太喜欢的人，我甚至在想，为什么我不是那个人？

（六）献给精灵的舞蹈（1） ·······

　　一个人在一间小屋里胡思乱想感觉时间过得很慢，拿出手机来看时间，居然没了电，四处找着插座，嘿，居然没有！这才想起自己住的这间小屋是最便宜的一间，可能真是一分钱一分货吧，钱给得少，那自然享受的服务也就少了。上山之后，手机就一直没信号，想着明天就要回家，可得把电充好，在有信号的地方及时给老爸他们打个电话。我出门之后还没跟他们联系过，他们可能会挂心的。

　　说实话，我还真有点高兴突然发现手机没电了，而且更高兴小屋里没电源插座，这实在是给了我一个借口去看看悄然在做什么，是真的睡了还是在发着呆想着心事。

　　一走出门，我才感觉到气温陡然下降了许多，因为高度不同了，这里的夜晚比在洪椿坪冷了很多，有点初冬的味道，这才返回去把来时悄然提醒我带上的外套穿在身上。绕了个大圈找到她住的那间屋子，开门的是同住的一个中年妇女，而屋里居然没有悄然的身影，我询问她悄然去哪儿了，她摇了摇头，但是告诉我说可能不

会去厕所，因为她出门已经有一个小时了。

　　一个小时？那也就是说吃过了饭她只在这屋里待过几分钟就出了门，这么黑的天，她一个人去哪里？我心里一个激灵，顿时没了主张。但是静下来一想，就想到悄然一定是想起了往事，她去年也一定在洗象池住过一晚的，在这里有过她的故事，她定是去怀念过去了，但是，都这么久了，天这么黑，天气也这么凉，一定得把她找回来。

　　洗象池不大，我挨着走了一圈都没发现悄然，但是最后我来到寺庙内院时，突然听到院外隐约传来"嗒嗒嗒"的声音，寻着那声音，我快速走到外院，果然，一个女孩在月光下自由地舞蹈着——娴熟的舞步、摇曳的姿态、飘扬在冷风里的卷发还有她沉浸在舞蹈里的神情，整个让我看呆了，比起那晚在舞台上的表演，这时候的她更让人入迷。只是，连外行的我都能看出她今天的舞步没有激情，那些由她双脚奏出的声响像是在倾诉——缓慢地、忧伤地、缠绵地……像是在轻声地吐露自己浓重的思念。

　　悄然像是跳累了，她停住了脚步一动不动地站着，望着没有星星的夜空，冷风贯穿着她单薄的T恤，也翻飞着她的卷发，她那样站了很久很久，我却不敢把她从冷风里从她一个人的境界里叫出来，只能看她柔弱的身体在寒冷里倔强地挺立。

　　而我想，她也真是太喜欢那个人了，可以这样在黑夜里在寒冷里怀念他们的过去，他可真幸福，但是他们到底怎么了，我想他们分开了那是绝对的，可是为什么要分开，悄然嘴里的他听上去善良得超乎想象，如果他们相爱过他该不会背信弃义，而悄然能这样怀念他，当然悄然也不可能抛弃他，那是为什么会分开？很容易我想

到了那个字——死！难道她的他遭遇了意外？这样想的时候我使劲地摇了摇头，怎么能去诅咒她喜欢的人呢？

"多么娇嫩的花，却躲不……过……风吹雨打……"

悄然突然无端端轻声而又断续地唱了这么一句，我听得出她的歌声在哭，然后就看见她的身体慢慢下滑，最后跌坐在地上双手抱膝、埋着头哭出了声……

我想我那个恶毒的猜测真是猜对了，丁香花这首歌本来就是为了纪念一个逝去的灵魂，难怪悄然这样难受，难怪她不怕鬼，她还希望有鬼，她是在希望那个走了的他回来是吧，哪怕是以另种媒介回来也无妨。

但是你怎么能这样伤害自己呢，如果他的灵魂真的还在，看见你这样他也会不安的，我，我也会心疼的，不能让你这样。

我终于鼓起勇气要去打扰她的怀念，很轻很轻地走到她身边把身上的外衣脱下来披在她身上，但是悄然的反应把我吓住了，她惊恐，不，应该是惊喜而又迅速地转过来拉住我，而一声"宣儿……"在我碰到她那一刻就从她哭哑的喉咙里发了出来。在看清楚是我之后，她带着泪痕的脸盛满了失望，先前紧紧拉着我的手也就缩了回去，也擦掉了脸上的泪，于是我又后悔了，她其实真该好好哭一场才对，但是我已经破坏了她释放情绪的环境。

"这里太冷了，回去吧！"

当我这么说着的时候，悄然竟然睁大眼睛看着我："你说什么？"

"我说这里太冷了，回去吧……"

她先前拉我的时候，我感觉她凉透了，而且也一直颤抖着。

"唉！"她重重叹口气，"你可能是宣儿找来安慰我的人，这句

话原封不动就是去年的今天在这同一地方宣儿对我说过的。"

"悄然，我不知道你口中的宣儿到底怎么了，但是无论如何你都不要这样折磨自己，他知道了也会伤心的。"

"啸，我不能回去，宣儿一定就在什么地方看着我，去年的今天，我们约好了今年的今天还在这里跳舞的。"

悄然眼里很是坚决，我想，她今天晚上是一定不可能离开这个他们约定好的地方了，但是我不能让她这样颤抖着过一夜，于是我跑回房间，偷偷摸摸地把被子抱出来把她裹住。

"啸，你回去，不要生病了。"

"你这傻丫头，我怎么可能让你一个人在这里挨冻，叫我走你还不如把我推下山摔死算了，以后叫青格他们知道我这么没心没肺反正都会把我羞辱死。"

说点搞笑的，我是想缓和她的情绪。

"你和宣儿一样，都对我这个令人讨厌的人这么好，你来——"

她打开被褥，然后用冰凉的手把我拉进去一起裹住，挨着她那一刻，我发现她几乎没有温度，我想如果是楠楠和青格这样，我一定会毫不犹豫就紧紧抱住他们，但是她是悄然，在我心目中，她和楠楠、青格是不一样，我，我觉得我喜欢上她了，而她，有一个爱她的、她也爱着的人！

"你一定觉得我很没用是吧，动不动就流了眼泪。"

"不，哭和笑都是发泄情绪的方式，你太不爱笑，所以你一定也很难得哭一次，其实你该多笑也该多哭，不要把自己压抑得那么辛苦。"

"你说得对，但是我怎么笑得出来，我又怎么敢随时随地地哭，城市那钢筋水泥的地板怎么收拾得了眼泪！"悄然抬头看看天空

"现在可能已经过了十二点吧！"

"差不多了。"

"整整一年了，去年今天十六，今年今天就十七了，大了一岁，我比宣儿大了一岁，而本来我们该是同岁的。"

"你今天的生日？"

"嘘——不要说我的生日，我这一辈子都不再有生日，我的生日和宣儿一起走了。"

"他好幸福啊，有人这样爱他，这样祭奠他。"

悄然苦笑一声："你理解错了，萱儿是我最好的朋友，是个善良温柔的女孩子，她的名字是草字头那个萱，当然，我也爱她，但不是你想的那样。"

天哪，我竟然犯了如此大的错误，听到这里，我心中先前对整件事情的猜测全部被打乱，高大诚实的大男孩变成了温柔善良的小女孩——宣儿变成了萱儿，爱情变成了友情……仔细一想，是我自己太狭隘了，世间不只是爱情能感天动地，为何我把友情排在了后面？

"不好意思，我还真猜错了，我以为让你怀念的人是你男朋友。"

"男朋友，如果我是男人，我真想自己会是萱儿的男朋友，一辈子保护她，一辈子享受她的善良，一辈子听她教训我！"

"你们的感情一定很深，一定像亲姐妹那样互相关心着彼此吧。"

悄然深深呼口气，眼神像是回到了过去，接着她终于开始对我讲起她最喜欢的萱儿：

小学三年级的时候，我外公得了绝症，医生说最多还能活两

年，而外公就只有我这么一个外孙女，他甚至都没见过我，他想在最后的时日和我在一起，于是妈妈带我去爱尔兰住下，外公比预计的时间多活了一年，他走后，我就带着一身的外国味儿回到乐山。当时我们家住在小镇上，我也就在离家最近的中学开始念书，那时候我认识了萱儿，她是我的同学，在班里，她是最安静也是长得最好看的一个女孩子，她总是甜甜地微笑对人，从不对谁发脾气，反正挺像个装老练的小大人，但是很显然她的家庭环境不好，穿的衣服、背的书包都破旧不堪，而且样式很土，我估计是亲戚朋友送的旧衣物。

　　而那时候的我，简直和她是两个世界的人，不光是家庭环境那方面，说性格吧，我从小就很嚣张，从来都认为自己是最好的，即使知道谁好过自己也会暗下决心超过他，然后让大家都公认我是NO1，虽然我学习成绩好，但我绝不是个安分、守纪的人，谁我都敢惹。学校里，连校长都被我戏弄过，我曾经在愚人节那天在他办公室旁边的厕所门前立了块牌子，上面写着"堵塞，请到楼下公厕！"对班里的同学，我却习惯性地和男女生都打得火热，而且用我自己认为表示友善的方式去接触他们，开始他们都跟我走得很近，后来又都不怎么理我了，因为我会当场指出他们的不对，或者揭发他们做过的错事。

　　班里的英语老师最恨我，因为我总是不听讲，但又总是考满分，后来他便不再管我，甚至连考试卷都不发给我，说是我根本没必要上他的课，说在他的课上只要我不讲话，做其他事情或者睡觉都可以，我想也有道理，反正他讲的我都懂，第二天上课我便很认真地看起了《老人与海》，当然还是英文的，没想到老师又认为我

风来了，带走我身上的尘土留下了我，我干净了却不高兴了，不高兴为什么风带走的不是我而留下的不是尘土！谁会愿意留在这孤单的地方？

是在挑衅他的威严，还说我是在同学中间显摆自己英语好，当众撕了我的书，我觉得非常冤枉也非常愤怒——一个真正的老师不该在学生面前撕一本有意义的书。我把这话很礼貌地说给老师听，结果他更是觉得我过分嚣张，完全不把他放在眼里，最后把班主任从办公室里叫来，对他说我上课不听讲偷偷看小说，而且还对老师不礼貌，侮辱了他，到最后他甚至说要是不给我严厉的惩罚就要申请不教我们班了，真是有够好笑，我当时真想说，你走吧，这个班我来带都绝对比你教得好，但是我那时已经了解了一些行情，嚣张确实没好处，特别是在这样的环境，遇见这样胡乱延伸本质意义的地方。

当英语老师想要向班主任证明我的无理，我的过错，我的侮辱言行而给我定罪时说过这样的话——"你不信就问问班里的学生，几十双眼睛都看见了的，一个十二岁的娃娃就这么不听话，太不像话了，你看看，她犯了错误居然还坐着！"

班主任往下面一望，当时教室里鸦雀无声，而我就利用那空白的十多秒这样想着——我想班里的同学别说不喜欢我了，就算喜欢我，他们也不会牺牲自己来维护一个没有维护意义的事情，因为即使谁来维护我，我想我的下场也是一样，写检讨到全班甚至是全校去念，然后对英语老师深深鞠躬说老师我错了，你才是对的，你说煤炭是白的那我以后就说盐是黑的，你要是说面包是米做的，那我以后就到处宣扬米饭是麦子煮出来的，你要是说有些狗不啃骨头，那我以后就说有些人不讲人话……那时候我自己都想得笑起来，在等待审判的时候我居然还笑得很开心，我都佩服我自己。

果然，不喜欢我的同学们都是好学生，他们非常相信老师，尊敬老师，他们都主动站起来说了实话——我上课在看小说，然后我说了英语老师不是个真正的老师！怎么能怪人家呢，我确实这样说了，这样做了！

只是我都不敢相信，后来一个甜甜的声音这样说：英语老师昨天没发卷子给易悄然，还说以后都不用听课，在他的课上只要不说话做任何事情都可以，今天老师撕了易悄然的书，易悄然没有骂人，只是说撕一本有意义的书的老师不是真正的老师，她说得对，如果老师要罚她，一同罚我吧，因为我也说了这句话……

这个不知死活的，不尊敬老师的坏学生是谁呀，胆子可真不小，我转眼一看，就是坐在角落里那个穿得最朴素却最漂亮的女孩子，后来成为我最喜欢的人——萱儿！而说实在的，因为她的默默无闻，我在之前都分辨不出她的声音。

那件事情到最后，英语老师并没有不教我们，我和萱儿也并没被逼迫写检讨，也没有得到任何惩罚，那英语老师甚至对我另眼相看，为什么？因为他知道了我妈妈是教育局的，是学校的上级干部，这是我妈妈以家长身份去质问班主任时，无意中被校长认出来的。

和萱儿就这么好上了，我也才了解到她原来只有个爸爸，妈妈在她小时候就因病去世了，她的家庭条件确实很糟糕，爸爸是务农的，供养她的来源全凭了几亩田地和家里喂养的家禽，但我从没听她抱怨过穷困，她总是在放学后就骑着破烂的自行车急急地往家里赶，说是给他爸爸做饭，她也从来不隐瞒自己的家庭环境，倒是经常说着她跟爸爸在家里又闹出什么笑话，或者偶尔听她担心地说起爸爸腰又疼了或者爸爸挖地不小心挖到脚了……

　　萱儿不像其他女生那么爱嫉妒，看着我一身的名牌衣服，零花钱也很多，三天两头就买好东西……她从来不会觉得跟我走在一起会显出她更加寒酸，她会在我买不必要的东西时很认真地说别太浪费了。真的，她就是那么朴素、那么直白、那么孝顺、那么知足、那么善良也那么简单的一个女孩，她拥有的我都喜欢，我在她生日那天送了双舞鞋给她，然后教她跳踢踏舞，后来我们俩一起编的舞蹈在学校出了名，后来还在市里参加比赛拿了第一名。

　　而每次农忙的时候，我都会跟她一起回家，帮着做点事情，有次在田里，我的腿被蚂蟥钻了，她往外拽的时候我笑嘻嘻的，她却心疼地掉下了眼泪！还有几次是我掉眼泪，都是因为帮她烧锅引起的——第一次去她家时，她爸爸还在地里干活，我们俩就回去做饭了，看她灶前翻锅又跑到灶后来加柴，我估摸着加加柴这么简单的活儿我还是能应付的，哪晓得一会儿火大得把菜都烧焦，一会儿就只冒青烟不见火苗，呛得我俩全往外跑，但是后来我就变成了烧火专家，连她爸爸都夸我火候掌握得好呢，反正只要我在她家，有三件事情是我包了的——烧火、抹桌子、拿碗筷收碗筷，本来我还想包揽洗碗的工作，结果被萱儿剥夺了，她说我没一次能洗干净的。

　　我妈妈很喜欢萱儿，每次我带萱儿回去时妈妈都要让保姆做最拿手的菜，在饭桌上就要教训我，说萱儿怎么怎么懂事，怎么怎么会孝顺人……反正会啰唆到我们放下碗筷才罢休，我想，依着我那时的脾气，我妈妈要是当着我的面夸奖别人，我肯定暴跳如雷，但是每次我妈夸她时，我都笑嘻嘻地说，你夸吧，反正她都是我的，你夸她等于夸我！萱儿很会劝人，记得有一回我们一起回去时，我

妈妈正和老爸吵了一架在屋里生气，我倒是回去就躲进自己屋里想关了门清净，萱儿却跑到妈妈那里跟她讲些宽心的话，之后还教训我一顿，说我不关心我妈！

悄然讲到这里突然停了下来，她依然颤抖得很厉害，但是我知道她并不是因为冷才停下的，她一定是想到了别的什么，而这东西扰乱了她的回忆……

（七）献给精灵的舞蹈（2）

"啸，你喜欢萱儿吗?"悄然发一阵愣后突然问我。

"嗯，和你一样喜欢!"那样的女孩，我想谁都会喜欢的，只是那么善良、美丽的女孩，为什么老天要在她花一样的年龄带走她呢? 想到这个女孩已经离开了，心里不禁酸酸的。

"我好想她……"

联系悄然这两天的情绪以及她的话语，我在心里猜测有可能萱儿就是在去年的今天走的，但是我不敢问起，因为如果真是那样，悄然定是目睹了她离去的样子——去年今天，她们肯定是在一起的!

身边的悄然已经颤抖得没办法了，我很想像抱着楠楠和青格那样抱着她，那样她可以感觉暖和一点，而这件事情，我也依然没胆量，但是我还是忍不住拿过她那双已经凉得僵硬的小手给她揉一揉，她没有不高兴，只是垂着眼睛看着我帮她揉手的动作，于是我就再哈口热气到上面，然而，我没想到这样的动作竟然又引出她的泪水，一大滴一大滴地落在我手上——我想，萱儿以前肯定也这样

给她揉过凉透的手，她确实对自己都漫不经心的。

"别哭了，我想萱儿真的就在附近看着你，她也不想看到你哭是不是？"

"嗯！"

答应一声，却是哭得更厉害，脸上是泪，卷发上也凝结着空气中的湿润，整个的她让人看了就心疼。

"然然——"我用萱儿的方式叫着她，"把我当作萱儿，让我抱着你吧，你已经凉透了！"在此刻我想只有萱儿才能让她温暖。

悄然抬头看着我，依然伤心地抽噎着，慢慢地就靠到我怀里然后紧紧地抱住我说："萱儿是最疼我的！"

慢慢地，悄然不再颤抖，眼泪也收了起来，她又回到了与萱儿的过去，把脸上的湿润往我身上蹭了蹭就接着说：

初三毕业，我和萱儿都考上重点高中，她爸爸很高兴，在家杀了只鸡叫萱儿打电话叫我赶车过去，要给我们两个庆祝一下！而当时，我正在自己家的饭店里，那天我爸爸也正在给我开庆祝会，事实上请的人全是他生意上的朋友，只不过借机联络商业感情罢了，在那里喝得天翻地覆,我很厌烦，接到萱儿的电话真就是跳着脚跑去她那里，我们俩把一锅芋头烧鸡吃了个精光，而叔叔也就多喝两杯！

那天晚上我没回家，和萱儿在她们家背后的小河边上乘凉，她也就和我说起有人给叔叔说亲事，那个人是河那边的，带着一个孩子，其实人也挺不错，但是叔叔一口就回绝了。萱儿让我在晚上的时候找叔叔谈一下，就说是她希望有个妈妈，还教了我说些什么家里乱七八糟，要是有个阿姨帮着收拾就好了，说萱儿念了高中要住

校就不能回来帮着做饭，要是有个阿姨帮忙就好了……我那嘴巴最擅长损人，说点好话可真把我难住了，结果晚上在饭桌上和萱儿蹩脚的双簧把叔叔笑得前俯后仰，后来叔叔说明白我们的意思，但是他只想和萱儿和萱儿过世的妈妈一辈子在一起！但是……

悄然又讲不下去了，我用力地抱抱她，希望给她勇气，让她把憋在心里的秘密吐露出来，把情绪宣泄掉，那样即使痛都能痛得痛快点！

她又在我身上蹭了蹭脸，而我感觉到那些湿润已经浸透了我的T恤，她也就靠在那些来自自己的湿润上伤心地说：

但是我……竟然会是我毁了叔叔一辈子的希望——

高一的时候，我和萱儿没有在同一个班，但是我并不孤独，我们连下课那十分钟都在一起，她们要是拖堂我还是会悄悄推开她们教室的门看看她在做什么，她一定会发现我的，她知道我都习惯了下课去找她，或者等她来找我。

新学期才开始，学校里就开个舞蹈班，我和萱儿都报名参加，而且理所当然我们俩的踢踏舞在班里、学校里都出尽了风头，国庆时候学校里举行了大型晚会，由于我们学校是重点高中，来参加的有头有脸的人多，我妈妈也代表教育部坐在第一排，那天的晚会还录制成了电视节目，而我们俩自己编的双人踢踏舞"不会孤单"赢得了满堂彩，那天的萱儿可漂亮了，一身洁白的裙子，整齐顺滑的头发，就像一朵洁白的莲花，她发上的米白色发带是我帮她系的，我手太笨了，是她自己系的话就会更漂亮……

而那天，萱儿的舞也比以前跳得成熟得多，本来我们在编"不会孤单"那曲目时是这样考虑的，把我们俩融合成一个人，也就是我们两个来表现一个人的两种心态——孤单与快乐，而其实在生活里我们两个本来的性格就是她总快乐对事，我却不喜欢很多事很多人，总把情绪封闭。但是遇见萱儿之后，我变了很多，也快乐了很多，我觉得是她把我的另一面找回来的！

　　总之那晚我们表现得非常非常好，我妈妈都跑上了台说她的两个徒弟可真是给她长了脸，而且当天晚上就有人邀请我们去参加当时市里将要举行的青春风采的文艺表演，真是开心死了——

　　说到这一句，悄然突然抬起头，紧皱着眉头说："我，我怎么能说开心'死'了？我那天晚上是不是也说过这样的话？难道是我咒到了萱儿？都是我不好！"

　　"别傻了，你这样说，萱儿会不高兴的，你们都把对方当成了另一个自己，你这样说自己，就等于在说萱儿。"

　　悄然点点头——

　　结果，国庆放假后，我又直接就和萱儿一起回到她们家，几天里我们都为着那个精彩的舞蹈兴奋不已，我就提议趁着大假我们出去玩一下，当我在饭桌上说出来的时候，萱儿轻轻地对我摇头，我突然才想起出去玩是要花钱的，钱对我来说根本不是问题，但是对于萱儿来说就不能不称其为大问题，她平时连零食都不吃，几十块钱的衣服都不舍得买，更别说拿个千儿八百的去乱晃悠，而我当然想让她一起分享我的零花钱，但是，我知道我不能那样做，虽然萱儿不在意我优越的条件，但是我却害怕我的一个不小心伤害了我们之间的感情，哪怕一丁点儿都绝对不能，所以我立即摇着脑袋说，玩什么呀，我们在家闹腾闹腾叔叔好了，反正我们有些日子没烦他了。

但是叔叔那时却对我的提议显得很赞成，让我这次一定要带萱儿出去玩一玩，说是虽然在乐山土生土长，却连峨眉山都没去过，反正家里刚卖了菜籽，把那些钱都拿去用了。我很担心地看了看萱儿，怕她又要教训我，她还真就瞪着我说我净会闹乱子，我却突然灵机一动，笑嘻嘻地说是我妈妈见我们的舞跳得那么好打来电话说要奖励我们出去玩一趟的，还煞有介事地拿出电话给她看号码——那天我妈妈确实给我打过电话，但是是问我怎么又不回家，说老爸都生气了！

就那样，我们在四号那天整装出发，也确实玩得非常高兴，萱儿就像个小孩子一样，对什么都感兴趣，车还没进站，她就看见了那棵高大的梧桐，说是没见过这么高这么粗的梧桐树，就硬拽着我去上面刻了我们的名字，然后还对拿着小刀的我说："是你破坏了环境，不是我啊！"她有时候也很调皮，都是从我这里学去的，然后我们去住了旅馆，就是那家我不去的每人二十块的地方，就连那个地方，萱儿都是找了好多地方之后又转回来的，因为就只有那里最便宜。

吃烧烤的时候，我们两个第一回弄了瓶啤酒来喝，那家伙一喝就吐，说是难喝死了，吐完之后她就发现那个烧烤的烤字没有火字旁。接着你知道了，我们去了网吧，萱儿没怎么上过网，只是在我们家的时候我教过她一些，那天我又教了她一样，就是泡泡堂的游戏，你现在该知道我为什么总是喜欢在三区童话世界紫水晶13号吧——那是萱儿选的，她觉得生活要是像童话一样就好了，而她是

水瓶座的，幸运石是紫水晶，13号是她的生日！

　　我根本就不喜欢打游戏，萱儿也不喜欢，但是我到现在都会在打开电脑的时候到那里去看看，就会想起我们在烧烤对面网吧的情景，想起萱儿因为喝了几口酒而变红的脸，还有就是她身后围了一堆的男孩子，他们眼里全写着：怎么有这么美丽可爱的女孩？也都看着她打游戏而笑得没着没落，当时我是笑得最厉害的，萱儿不知道方向键可以一直摁着就能让人物不停地移动，她只是用手飞快地点，结果屏幕上的人物就一跳一跳地向前走，没走几步就会被炸死……

　　看着悄然微笑起来的脸，我也想起原来她让我陪她玩那个游戏的样子，也是让我笑得没了着落，现在看来，她是在学萱儿。

　　上山后，萱儿兴奋极了，她说这山上的树都好高好粗哦，还说早知道该在这里找棵最大的刻个名字呢，我就拿刀让她刻，结果她笑着说其实她都后悔伤害了那棵梧桐，以后再不刻了。她就是那样善良，一时的不留心伤害了谁，哪怕是棵树她都会内疚。

　　我们在出发前就想着要带上舞鞋在夜里的山间跳跳我们的"不会孤单"，也就是去年的昨夜，我们在这里达成了那个愿望，那天晚上的天气很好，月色也清亮，很多游客都在这里闲坐，萱儿不好意思在众人面前展示，说一来会影响人家，二来人家会说两个女孩子太招摇。我可不同意，想着她第一次出来就要让她玩得尽兴，于是我拉着她就在人群中跳开来，气氛好极了，游客们都围成一圈给我们打拍子，有的还一起来胡乱地跳，萱儿也就放开了，那天她笑得很美丽，跳得很尽兴，还对我说然然，我们明年的国庆一定再来

吧，真的太美妙了！……

我当然想，只要能和她一起跳舞，到哪里我都答应。

第二天游了金顶就回家了，路上，我接到妈妈的电话，把我臭骂了一顿，说是爸爸请了客人要给我庆祝生日，却到处找不到我，其实我当时在想，我的生日礼物已经收到了，就是在金顶的时候，萱儿用小花给我编的花环，我们还一起唱了生日歌，而爸爸又是那样不顾我的情绪就把我当借口去联络他的商业感情，于是就在电话里说了几句气话，之后理所当然就被萱儿教训一顿，因为她知道了我骗了她说是我妈妈让我们去玩的，她也决定要送我回家，替我解释一下。

其实，那天真像是有什么预感似的，我回到家就异常烦躁，爸妈都轮番地教训我，那倒也没什么，只是我很怕他们无心的一些话会伤到萱儿，而果然，爸爸有句话说一个女孩子家家的，不正经待着，整天都不回家，不知道是被谁影响的！

他这样说，我想萱儿自然会联系到自己，我除了和她在一起，都不跟其他人怎么来往的，我怕萱儿有什么不好的想法，就在她回家时坚持要送她过桥去坐车，我真后悔，我要是那时候不跟她一起走，说不定就不会遇见那样的事了。

桥那边刚好有座山坡，沿山的路蜿蜒陡峭，而且弯度很大，大得看不见弯子里的车辆，我们走到路边在那里等过路的车，我对萱儿说爸爸那话是无心的，让她千万不许乱想，她却笑着说根本就不会放在心上，还责怪我骗了她，说以后还是要多在家里陪陪他们，说我对家人的态度不好，说不管怎样那都是父母，都得尊敬，要多和他们沟通，不要胡乱猜疑他们……她一啰唆起来就是那样没完没

了，我撅着嘴一边听一边耍弄自己的手机，萱儿见我心不在焉的样子就推我一把，说我不安心改好，就是那一推，我手上的手机飞了出去，沿着坡路往下滚，两个人都跑去捡……

　　萱儿，她跑在前面，我紧跟在后头，我听见山路上面好像传来汽车的声音，心想这是转弯处如果近了该是鸣声喇叭的，却没想到转眼就看到一辆飞速下坡的车，很近了，我喊萱儿叫她靠边，可是那下坡的路不容易刹住脚，我想那车更是不容易刹住吧，我们都很慌张，几乎是同时跌倒在地，都是跪着的姿势，我感觉车是擦着我的衣服风一样经过的，那么快，既然那么快它为什么不再快一点？萱儿跪倒在地时惯性的作用使她整个儿地趴了下去……刚好就在车轮下，我伸手去拉，我什么也没拉到……是那车不好，它不再快一点，赶在萱儿趴下前就经过……我不好，我应该挨着她跌下去，才好一把拉起她……

　　车跑了，它碾破了萱儿的头，萱儿对着我翻动了一下出血的眼睛，就再也不理我……

　　悄然已经发不出声音了，而我的眼睛也酸涩透顶，我没办法让她不要哭，只能凭着她滚烫的泪水浸染我的衣服，只能用萱儿的心情轻轻拍着她，而我想萱儿可能真的就该在这附近，远远看着她的悄然这样思念她，这样内疚地伤心哭泣，她也一定很难过，她肯定不会舍得离开悄然的，天空孤独地翻白，月亮在听了萱儿的遭遇后也偷偷掩面而去……

　　"然然，"我扶起她的脸，"起来跳个舞，天要亮了，萱儿也快累了，来给她跳个舞，她肯定也会跟着你一起跳的，这是你们

的约定！"

　　悄然本来无力的眼睛突然来了神采，肯定地朝我点点头然后站起来，但是我没想到她却把舞鞋脱了下来："萱儿，这是你的舞鞋，你快穿上，我们来跳舞……"

　　光着脚，没有任何声音，悄然围着那双舞鞋跳了起来，而我记得，那些动作、那些姿态，就是那天晚上她在舞台上跳过的，而此刻我却想象着她和萱儿在去年的晚会上的情景，一定非常的美，那个一身洁白裙子的女孩，她的舞步一定和悄然一样轻快一样动人。

　　我望一望山间，风吹过树叶沙沙轻响，像一阵阵欢快的笑声，风一停下来，那种静谧又像谁在凝目观望！

　　我想起悄然写的那段话——风来了，带走我身上的尘土留下了我，我干净了却不高兴了，不高兴为什么风带走的不是我而留下的不是尘土！谁会愿意留在这孤单的地方？

　　她一定是想着这里的情景想着萱儿写下的，再望一望，风又来了——我想萱儿这时肯定像个美丽的精灵歇在树梢上专注地凝视着悄然为她献上的舞蹈吧，再不然她便随着风一起缠绕着悄然的身体，和她一同跳起那属于她们两个人的舞蹈。

谁
恋
爱
谁
孤
单

第三章　我要我们在一起

我说誓言

你说誓言是打发寂寞随口的哼哼

我说永远

你说永远前面得加上一瞬间

我说我要我们在一起

你说人从来只和自己在一起

（一）她说，不要欺负人 ● ● ● ● ● ● ●

大假结束的那个早上，我很早就往学校赶，路过学校外那家早餐店时，突然被个庞大的动物从背后压住——

"老实交代，这几天跑哪里去了？"

青格整个儿地压在我身上，双脚都环到了我腰上。

"楠楠，救命啊！大猩猩非礼高中少男啊！"

看着我们两个那恶心的样子，楠楠提着小笼包子撑着路边的树笑个不停："好哦，好哦，最喜欢看你们两个狗咬狗了！"

背上的青格不再继续掐我的脖子，我也不再揪他的小腿，两个人冲过去就把楠楠连同树一起圈着挤了个扁。

"呜呜——我的包子，你们杀了我的包子！"楠楠把她的早餐提到眼前，那几个小笼包都成了小笼饼，连馅都挤了出来，看着就像那个什么什么一样！

"那不是悄然吗？"青格指着学校门口，"喔唷，她们家有钱哦，开的是宝马呀！"

果然是悄然，她和一个卷发的女人正在宝马车边说着话，而那个卷发的女人手里拎着一个背包，我认得那是悄然的书包，而我猜

那个看上去气质非凡的女人一定就是她妈妈——她和悄然长得太像了。昨天早上，悄然在山上为萱儿跳过舞之后，我看她十分憔悴，便阻止了她上金顶，只是走到雷洞坪就坐车下了山，但是悄然没有回乐山的家，在和我一起回了成都后也没回她舅舅那里就直接来了学校，我估摸着她妈妈是来给她送东西的。

"悄然——"

在我还没反应过来阻止楠楠去打扰她们时，她已经喊了悄然的名字也已经跑了过去。

很显然，她们母女有些诧异我们的出现。悄然的妈妈更是睁大了眼睛看着跑在最前面的楠楠："这……"

"这些都是我的朋友，楠楠、啸含、青格！"

"哦，好，好，就是该多结交些朋友。"悄然妈妈把包递给悄然，然后微笑着打量我们说："悄然到你们中间来，就麻烦你们了。"

"哪里呀，悄然可是我的救命恩人呢。"楠楠边讲着边亲热地挽起了悄然的胳膊，"而且，现在还是我的老师了，她的踢踏舞跳得太美了！"

我看见了，悄然还有她妈妈眼里都闪过瞬间的哀伤，她们可能同时想到了萱儿……

"楠楠，要上课了，我们先走吧，让悄然和阿姨说说话！"

我拖着楠楠也踹一脚正在旁边摸人家宝马车的青格，于是几个人都跟阿姨道了别跑进学校。

"死家伙，这不还有二十多分钟才上课吗，让我跟师傅多待会儿你嫉妒啊？"楠楠在教室里抱怨着，青格也很不满意："你怕我把人家宝马摸烂啊？"

我没说什么，就嘿嘿地跟他们笑。

可是我没想到，在第一节课上，教室门突然被敲响，然后被轻轻推开："对不起，我找一下方啸含。"

"不好意思啊，打扰你上课了。"这是我们走到学校花园坐下后，悄然妈妈开口讲的第一句话。

"没关系的，反正高三的课程大多是在复习高二的知识。"

她点点头，然后轻轻呼了口气："悄然在转学过来时说起过你，说你是她的网友是吧！"

我点点头，心里有点不祥的预感，她该不会是来让我不要接近悄然的吧？在他们心目中，网友或者现实里的朋友，只要是异性间的交往，都可能会让他们联想到很多，而我敢肯定，她是知道了这几天悄然是和我在一起的，但是我可不想对她说什么我们只是好朋友、只是互相勉励互相分享心情的知己之类的瞎话——虽然我们的确是，但是她一定不会相信，况且，我也的确喜欢上了她女儿！

我估计阿姨也看出了我的疑虑，竟然笑了笑："其实，朋友之间怎么相识的并不重要，重要的是你们相处的过程里产生的友谊是否珍贵，悄然那孩子喜欢的人很少，在你之前，她的朋友只有一个。"

我再点点头："可是她连那个唯一的朋友也失去了。"

"她告诉你了？"阿姨看着我，样子很是惊讶，摇摇头说："真是没意料到，幸好那天我没阻止她去，说出来就会好受点，难怪了，昨天晚上我给她打电话时，她第一次问了我去河那边的情况。"

"河那边？是萱儿住的那边？"

"看来悄然跟你讲得很详细啊。"阿姨咬了咬唇，感觉有点欣

慰："昨天是萱儿的周年，我去上了炷香，也去看看她爸爸，他一直身体不好，特别是萱儿走了之后，更是苍老了许多。其实，萱儿他爸一直也没怪过悄然，但是悄然不敢去看他，萱儿出事后，就一直没去过，她根本不敢在白天出现在河那边……"

是啊，她怎么敢去，她整个都被内疚和悲伤围裹住了，我也深深叹口气听阿姨继续说起。

"我原来也以为悄然真的不会再去了，至少在近几年都不会过去，但是有天半夜我起来上厕所时发现她的门开着，屋里没人，电脑也没关，屏幕里是个小孩子的游戏，我很慌张，但是四处都找不到她，我最后才开始怀疑她会不会去了河那边，便急忙开了车顺着路找她，我真的没想到，以前那么怕黑的她竟然在下着雨的夜里一个人走了二十多里的山路，然后淋着雨在萱儿家的院子门前……"

一行泪从阿姨眼里涌出，我赶紧摸出纸巾递过去。

"那天晚上，我才带她去了萱儿的坟前，当时，她叫我走开却又立即叫我回来，她说萱儿不高兴她对家人没礼貌！"阿姨笑了笑又说，"我真没想到，教我女儿长大的人不是她爸爸也不是她妈妈，而是她的朋友，萱儿对悄然的影响非常大，悄然原来的个性十分好强，脾气也很暴躁，以前她什么都要最好的，凡是她喜欢的她都要得到，不管是某种物质还是某种名誉，但是你看她现在！穿的是二十多块钱的T恤，三十多块钱的牛仔裤，她把以前所有的名牌衣服和多余的物品都捐给了贫困山区，她比以前懂事多了，但是我却更加担心她，她太孤单了也太过悲伤了，那么久的时间，我就见她对着电脑笑过，她把自己以前的古怪都发泄进了虚拟的世界，而现实里却陷在那个阴影中不能自拔。"

"那是因为她们的感情太深了，要走出来可能需要很长的时间，也需要有人帮助她。"

"可是，悄然根本不和我们交谈，而且我和她爸爸也一直都没给她祥和的环境，我们，我们一直在闹离婚，所以她都不愿意在家多待一会儿。"阿姨抱歉地看看我："其实，都不该把这些繁杂的家务事说出来影响你，算了，不说这些，悄然有了个朋友就值得高兴的。"

阿姨站了起来，我也就跟着站起来，她和悄然的个子差不多，都只挨着我嘴巴那么高。

"长得可真高,本来想摸摸你脑袋的,挺费劲我们就握握手吧。"

我笑着伸手给她："我就是吃了饭不想事情净长个子了。"

"好了，啸含，教育部有个会议我要赶过去参加，你好好学习，高三了要加把油，谢谢你照顾我们悄然，寒假的时候啊，你和你的那两个朋友一起来乐山玩吧，阿姨好好招待招待你们。"

"会的，阿姨你也不要太担心了，我们会好好陪悄然的。"

临走时，阿姨要了我的电话号码，说是这样可以随时知道悄然的心情。送走她，已经是第二节课了，我没直接回班里，而是走到高二五班的教室外，透过窗户我看见悄然在听讲，很认真地在记笔记，这让我很诧异，我想象中她此刻一定还陷在昨晚的舞蹈里，陷在对萱儿的思念中才对，但是我反着想，叫她认真学习的人一定也是萱儿，不是用萱儿的鼓励来支撑，她不会在如此哀伤的日子里还如此认真地对待课堂。

"方啸含，你不上课跑到我们教室外发什么呆？"

我的天，教过我的政治老师突然发现了我，竟然还来这么一

句，整个教室的学生就把目光齐刷刷地投到我身上，当然也有悄然的，在一阵哄笑中我逃一般地跑掉。

晚自习上，青格那家伙看不进书就来骚扰我。

"喂，死猪转过来陪我说会儿话！"

"说什么呀，我看书呢！"转过去翻他一对白眼。

"靠！你假什么正经哟，你看书？你只是在看书长得什么模样吧，半天了我也没看你翻一页呀！"

又被那大猩猩看穿了，失败！我确实没看进去，我都还在想着昨天晚上的事情，怎么能不想啊，若是我遇见那样的事情，肯定都活不下去了，不过我看看眼前那面目可恶的青格，不经心就说了句："如果死的是你，我高兴还来不及！"

"啊？什么死不死？"青格这才想起来问我，"我说你这几天到底跑哪里去了，今早上悄然她妈妈找你说些什么？"

"唉！"我站起来转过去对着楠楠吹声口哨，往教室门口一摆头便朝外走去，后面就跟来他们俩。

"要开会啊？"

楠楠跳着脚推我一掌。

"他是要向我们交代情况呢，这家伙不老实，肯定做了对不起我们的事情。"

青格也来推我一掌。

"你们俩别闹了，到了花园我慢慢跟你们讲。"

其实，我原来是不打算把悄然的秘密讲给他们俩的，但是晚自习上我反复考虑了一下，想着我们是悄然仅有的朋友，而且也刚开

始相处，怕我们无意中会刺痛她，所以还是决定说出来大家商量一下，一来避免无意伤害，二来看看那两个家伙有没有什么好招数可以把悄然从那阴影里拉出来。

于是，我用了整个晚上来讲这个国庆节的所有事情，没想到，我再次回忆起悄然那伤心的模样时，眼睛同样酸到极限，楠楠那家伙也是个容易掉眼泪的女孩，连着哭了好几次，在听到昨天早上悄然光着脚围着萱儿的舞鞋跳舞时更是一边拉着我的衣服一边扑到青格身上擦眼泪，她问："你们说萱儿看到了吗?"

青格颤颤嘴："我，我也不知道！"

"你个死蛮子，你就不会说看到了吗?"楠楠狠狠砸他一拳。

"唉，我当然希望她能看到，我还希望她根本就没死呢，但是事实就是事实，人死了就不能复生，你们女生就爱幻想，悄然就是因为无法接受萱儿已经离开的事实才会过了这么久还这样伤心。"

"你们男生就是这么没良心，那样的事情，怎么可能忘记，悄然她一定难过死了?"

"楠楠，你错了，并不是我不为这件事情难过，也并不是我不重情谊，只是你想想，大家都难过能解决什么，只能让悄然更加难过罢了。"

"青格说得对，我们不能跟着难过，那样会让悄然的情绪一直陷在阴影里。"

"也对哦，但是我就是……我师傅她……"楠楠揩着眼泪都不晓得该说什么。

"啸，那悄然她妈妈早上找你做什么?"

"她是来谢谢我陪悄然度过了对她来说难以度过的国庆节，还

聊到些萱儿走后，悄然的经历，那家伙真的比我们想象的还难过得多，她内疚得根本不敢去见她身体不好的叔叔，竟然在雨夜里一个人走了二十多里山路，去萱儿家门前淋雨……"

"我靠！他妈的都什么烂事要让她遇见哪，她又没得罪谁。"

我继续把早上的事情也全盘告诉他们，听完后，我们三个都沉默着，青格却突然冒出句气愤的脏话。

"喂，大猩猩，以后可别在悄然面前说脏话，会影响她情绪的，因为萱儿不喜欢。"

瘪瘪嘴，青格点个头："噎死！会注意的滴！人家不就是习惯了吗？"

看他没正经的样子，我和楠楠都翻他个白眼。

"悄然她妈妈很高兴悄然能和我们交往，说让我们照顾她，挺不错的一个妈妈，你知道她怎么说网友这回事吗？"

"怎么说的？"

"我当时还以为她是来阻止我和悄然交往呢，结果她说朋友之间怎样相识并不重要，重要的是交往过程里产生的友情是否珍贵。"

"我妈怎么不这么对我说呢？上次还把我 QQ 里的人全给我删光了，哼！"

青格鼻子里吹气。

"你那些网友，我都想给你删个干净，聊些莫名其妙的玩意儿！"

楠楠不客气地瞪着他。

"是是是，你们就只能欺负我一个人，我命苦啊，遇见的女人个个嘴巴里冒火。"

"恭喜啊，现在悄然也来到我们中间，你就等着享受言语敲打

灵魂吧！"

"深表怀疑！"楠楠笑起来，"我师傅的能力我不怀疑，我怀疑青格这文盲会听不懂弦外之音，理解不了言外之意啊，他那灵魂是加了防盗门外加三把锁的。"

"我呸！我能听不懂？先前啸讲到悄然讲给他的 S 步伐，我就领悟到了，下次爬山我就试试。"

"唉，好喜欢我师傅哦，她为什么能想到那么多的事情？居然还有四分之一的爱尔兰血统。"楠楠一脸的崇拜，完全忘记自己的学姐身份。

"崇洋媚外，哼，早些时候你就是汉奸的料！"

"你个死蛮子，你是新世纪文盲还不知道现在是新世纪啦，现在可是讲求友好，你才汉奸呢！不理你了，我和啸去找悄然让她教我们跳舞。"

我立即变脸，那怎么可以？一想到踢踏舞悄然就会想到萱儿，一想到萱儿……我都不敢想了。

"啸，走吧，没关系，应该让她试着习惯没有萱儿的踢踏舞。"

青格一把把我拉起来，我也就忐忑着心情跟着这俩疯子跑去悄然她们教室。

当我们来到悄然她们教室时，确实吓了一跳，乱哄哄的一片，里面居然有我们的老熟人——石杨！再看到另外四个女生后，我们就知道发生了什么事情，她们是为了那次食堂占位子的事请来她们昔日老大来找悄然麻烦的。

几个人围在悄然的位子旁，石杨正在说些什么恶心吧唧的话威胁悄然，真不知道他还要不要脸，竟然还在玩这些小学生的游戏，

我和青格冲过去拉开那些女生，一边一个地把他夹在中间。

"你要干什么？没考上大学就到社会上去挨打嘛，那么舍不得我们的拳头？"本来不想讽刺他的，谁叫他欺负的人是悄然。

青格也在旁边把手捏得叭叭作响横眉竖眼地瞪他。

"你还是不是人哪，有本事就去找社会上的混混耍狠，干吗尽在学校里发疯啊？"楠楠居然都生气了，一手拉着她师傅一边骂那个喜欢着她的石杨。

石杨左左右右地看一圈觉得很没面子，立即就说："本来我只是想用嘴巴让她明白道理不要太嚣张的，但是既然你们都来了，有本事就到学校外去练练，我兄弟都在外面等我呢！"

"谁怕谁呀？"青格立即就来了劲。

"算了吧，你的道理我明白了，但是那是错的，我不会依着你的道理做人。"悄然这时候才不紧不慢地站起来把书收拾进抽屉里，"只是，你还不明白我的道理。"

"你太狂了，看来你是用嘴巴教训不了的。"

"你听我讲完，我的道理很简单，就是……"话没说完就猛地一踢腿，脚尖刚好停在石杨的鼻子前，"不要欺负人！"

天哪，这是悄然？那眼神、那低沉的声音我不想说什么了，你说她是混黑社会的我都信！

石杨带着他的跟班嘴里叽里呱啦着灰溜溜地走了，教室里一片哗然，我们三个也是瞪大眼睛在惊诧之中！

"走吧，我看老师就要来了！"

"哦，哦……"我们三个跟着悄然走出教室。

"哈哈……"青格到了操场上都还在笑，"看着石杨那样子就想笑，他肯定从来没被女生欺负过吧!"

"师傅，你真的太厉害了，怎么什么都会呀?"楠楠又是一副崇拜样。

"你这家伙隐藏得好哦，都没跟我提到过会功夫。"我也很是兴奋。

"你个笨蛋，我早说过了悄然是个练家子，上次她那么快把楠楠扶起来我就知道了。"青格很是得意，我却紧张万分，因为我突然想起萱儿倒下的时候，悄然想拉她……青格似乎也想到了赶紧去捂嘴巴，楠楠马上转话题："师傅，谢谢你哦，那次不是你的话，我可就毁容了，呵呵……"

"都在说什么呀?"悄然瘪瘪嘴，"好像我真是什么武林高手似的!"

谢天谢地她没去联想。

"难道不是吗? 你刚才那一脚刚劲有力，又快又狠，而且腿风我都感觉到了，你教楠楠跳踢踏舞，也得教我一样啊，我就学你的拳脚功夫好了!"

青格两手作揖地笑着。

"你们可真是无敌了，我糊弄别人你们怎么也迷糊? 那是假的，我哪会什么功夫!"

"……"三个人一起掉眼珠子。

"踢个腿有什么呀? 我正着反着侧着都能达到那效果，忘了我是跳舞的?"

"我还是不相信，怎么可能? 你要是没功夫，那为什么一点也不怕他们?"

楠楠这话是我们都想问的。

"怕什么? 谁都不该怕谁, 谁都不该欺负谁, 他大不了就打我一顿, 死不了, 死了又怎么样?"

"……"三个人互相望一眼, 很不是滋味, 她怎么能说死了又怎么样!

"唉!"看我们沉默悄然叹口气, "其实, 要欺负人那太容易了, 练它一年拳随便就能对付几个平常人, 不容易的是有了欺负人的本事同时也有不欺负弱小的本质; 不被人欺负也容易, 你就想尽办法躲呗, 看谁能费劲追你到天涯海角? 不容易的是有了躲的机会根本就不躲! 拿出气势来面对, 看他怎么欺负你, 说不定他还被你吓倒了!"

"有道理哦, 石杨就是这样被吓倒的。"青格点点头装作完全理解, 我看他是怕被楠楠说听不懂弦外之音吧! 其实我都还没理解, 楠楠也一脸迷糊。

"不知道是不是有道理, 反正我都做不到!"

这就是悄然, 总是想到很多种道理, 却又会说自己也不明白, 说自己也无法如此那般, 如果我没猜错, 她这时候是在说自己被一种东西欺负着却反抗不了, 那东西就是——情绪!

"嘿嘿, 那我更要跟你学, 学你的眼神, 真能杀死人哦!"青格故意在我面前晃了一脚, 还学着悄然刚才的眼神说: "不要欺负人!"

"哈哈……"

我们三个都笑疼了肚子, 悄然, 悄然她也终于轻轻地笑了, 她

笑起来真的很漂亮……

（二）在孤单里快乐 ·······

　　半期考试结束后，我们四个人四种心情——我破天荒地进入十强，虽然是最尾巴上的，那也值得我这个霸占中等生位置许多年的人兴奋好几天了；青格那家伙和以前一样对考试成绩麻木不仁——虽然他非常悲哀地考了个倒数第三，但是去年倒数第一也没见他少吃一口饭，更何况他还有这么大的进步！只是我有点想不通，为什么楠楠会从一直保持着的前三名呼啦啦就垮到了第八名，而以前成绩单上总是追随在她名字后的林心却直接站在了最前面，而且，分数差距和第二名还很大，为此楠楠被老师请到办公室"关心"了好几回！

　　再说悄然吧！当我问她成绩时，她很随意地说在前二十名，看不出她的心情好与不好，只觉得她很不在乎，只是后来楠楠的同桌王思妍跟我们透露了一个恐怖的情况。

　　那天下课的时候，王思妍和楠楠跑到我跟前，顺便也招呼青格围上来说是有新闻要发布，而且一副地球要爆炸的样子。

　　"狗仔队，又有什么大新闻啊？"王思妍是个好事人，爱打听消息也喜欢散布各类小道消息，我们总是在她很兴奋地开始广播时叫她狗仔队。

　　"你们知不知道悄然的名字在学校里都被传开了？"

　　"切，我还以为什么事呢，这个我们能不知道？现在学校的流行语就是——我的道理就是不要欺负人！哈哈……"青格说着又来晃我一脚。

其实，悄然被传开是从她跳踢踏舞那天起，后来那次在教室里对着石杨那一脚也由他们班里的人传得沸沸扬扬，我和青格都听到过好几次学生在打闹时说起她那句名言！

"你别打岔，听思妍讲嘛！"楠楠眼里也很是得意，难道她师傅真又做了什么令她引以为豪的事情？

"你们知道悄然这次在她们班考了第几名吗？"

"她对我说过是前二十名，难道这个也值得你们惊奇？"

"她是班里的第 15 名，年级第 32 名，但是这个确实不能让人惊奇，那我说五门功课有四科不仅是班上第一而且是全年级第一呢？"

"啊？悄然四科第一？"青格羡慕不已，那可能是他下辈子都做不到的。

"不会吧，四个第一那怎么考也得考到前几名才对啊，怎么会是 15 呢，另一科该不会是倒数第一吧？"

"嘿！你还挺聪明哦，还真被你猜对了，她有一科成绩就是全年级倒数第一。"

"我的天，那家伙偏科太厉害了，一定是政治或者历史，她不喜欢死板的东西……"

"晕去吧你，人家悄然的政治和历史都是 120 以上的高分呢。"

"那语文也不至于考那么差呀，她那语言程度语文该是强项才对，那绝对只能是数学了，我数学还行，我去给她补……"

"她给你补好了！"楠楠翻我个白眼，"150，满分！"

"什么？"……"什么？"

我连着说了两个"什么"，第一个是为悄然数学满分而惊诧，第二个是因为我想起剩下那让悄然考了个倒数第一的科目居然是——英语！为什么？这真是让我极度想不通！凭我了解到她的四分之一爱尔兰血统以及我在峨眉山听她那么顺溜地跟老外交谈，我怎么能想通她考了倒数第一？

"我晕，你们来忽悠我好玩的吧？"

"是真的，而且根据她们班里的可靠情报说悄然的英语试卷是一片空白。"

"……"

一伙人都挺好奇这件稀罕事，最后商议让王思妍去弄一份儿高二的英语试卷来分析分析，当我们仔细地把那几页纸看到最后时，终于找到了答案——作文题目是"写一段心里的话给你最好的朋友"。

可是我还是想不通，作文在最后，那悄然应该会先做前面的题目吧，为什么整篇都是空白？楠楠不愧是答题高手，她说成绩好的人一般在拿到试卷后就会浏览一遍，然后计划怎样分配答题时间。

以为我们这几个人围着悄然笑笑闹闹，会令她开心起来忘了那些情绪，而表面上她也确实那样表现着，但是就一个小小的作文题目就泄露了她的心——依然无法解脱！我想，当她看到那个题目的瞬间，那些深埋在心中的想要倾诉给萱儿的千言万语全都惊醒，也一定像把刀一样在她体内绞动着。

这件事，我们几个商量好了不去问及，只是用着我们的快乐继续感染她，而悄然也不愧是我们心目中不一般的女孩，虽然她时常说自己做不到自己所能想到的事情，但是她在努力，凭着萱儿遗留

给她的一切在努力。

那天也是在食堂，我们四个坐在一起吃饭，笑闹间居然又走来那四个在学校里飞扬跋扈的女生，顿时我和青格都警惕起来，楠楠也立即放下调羹拉着她师傅。我们以为她们又是来恶言相加的，却没料到四个人走到我们桌前停下后居然对着悄然笑意盈盈。

"悄然还没吃完呀，你们哪是吃饭，简直就是开座谈会，我们后来的都吃完了！"

天，那个以前骂悄然是猪的女生竟然会有如此友好的口气，好像和悄然是好朋友一般。

悄然并没回话，只是对着她们笑了笑。

"你们慢慢吃哦，我们先走了！"

四个女生都跟我们说着拜拜，我们也就莫名其妙地跟她们说了再见。

"怎么会这样?"楠楠第一个问出口。

"这还不明白? 定是给我们悄然吓的,怕以后在学校没得混了。"

这是青格高见。但是我想不可能是这样简单，那几个女生也不会那么容易怕了谁，传说里都是比较有脾气的，但是突然这样对悄然确实令人费解。

"然然，到底怎么回事? 你又教训过她们?"

从山上下来后，我就习惯这样叫悄然了，现实里，也只有我这样叫她。

"没什么的，大家其实都不是什么坏人，只是染上了一种习惯罢了，况且我和她们也并没发生什么大不了的仇恨呀，只不过意见不统一而已。"

她的话好像并没回答我们想知道的问题，于是几双眼睛还是盯着她。

"你们的好奇心可真大，我知道你们连我英语交白卷都要查一下，这件事当然要问个清楚才吃得下饭是吧？"

"啊？交白卷？谁去查的？"三个人同时装傻，悄然就笑一笑。

"好了，告诉你们吧，刚才说话的那个女生有天早上在厕所里晕倒了，她好像贫血，当时太早，厕所也没别人，我也不知道她们是哪个寝室的，所以就自己把她背到学校外找个车送去了医院，就这么简单。"

悄然说完了，我们三个面面相觑，这丫头真会这么不记仇？

"看看我师傅吧，你们两个可真该惭愧，到现在还在想着有机会就给人家林心好看是吧？"

就知道楠楠会说到这事，其实我也马上就联想到了，而且我发现悄然很奇怪地看了我一眼，看得我心惊胆战的，心中立即升起一种不祥之兆。

果不其然，吃过饭后，悄然说让我晚自习后在花园等她，天哪，这是她第一次主动约我，但是为何我有点大祸临头的感觉啊？整个晚自习我都如坐针毡一般不能安稳，我都这样了，楠楠居然还嫉妒万分："我师傅为什么只让你去呀，肯定是要教你点什么厉害的东西，哼！"

"那你代我去吧！"

我可真是想让她去受受悄然敲打灵魂的魔掌呢，保准让她想一夜关于自己的"大事"，悲哀啊！

其实除了心中那一点忐忑，我的心情还是十二分的明媚，从峨

眉山回来后，我几乎没有和悄然单独相处的机会，那两个跟班儿以前总是在我需要他们时躲得老远，而现在却跟狗皮膏药一样甩都甩不掉，总是在我有去找悄然的动机时就会第一时间发现并且要求同行，而今天悄然已经把话说明白了，是只要和我见面，虽然我想见面时的内容比较痛苦，但是，我这个人还是比较乐观，况且悄然还教过我一种转换方式——在痛苦中寻求快乐！

十二月了，天气冷得不一般，学校里的腊梅在空气里张扬着它的香味，在清冷里灌注了一抹温馨，也让今夜的我更加思绪飞扬，我幻想着和悄然在花园里轻声细语地谈天说地，想那时花前月下是何其的浪漫呀！

我把一切都勾勒得十分融洽与美好，连走去花园的脚步都像是凌波微步一样轻快飘逸，我想我得尽量走快点，可不能让她等我呀。可是当我停下步子时，悄然却像尊美丽雕塑一样坐在椅子上，甚至都没发现我的出现，看她沉思的样子我估计她坐了有些时间了。

没说话，我静静地就坐在她身边然后看她的脸，她也就转过来笑着："你猜我今天是要对你说什么？"

"不管你要说什么，先把这个吃了。"我把从青格那里偷来的巧克力递给她，其实我想琢磨着先行个贿好让她对我嘴下留情，所谓吃人嘴软嘛。

"等我说了再吃吧。"

"……"难道被她看穿我的伎俩？

"看你的脸色好像有点心虚的样子，你做了什么坏事？"

"我做坏事？我看你今天才是做了件不得当的事呢，老实说你什么时候就坐在这里了?"

"不错嘛,学会了先发制人。"

两人都笑起来,我也就把巧克力的包装撕掉再递给她:"快吃了,补充点热量,一个人坐在这里多冷啊。"

悄然接过去却掰了一半给我,着实让我感动了一把,一阵甜蜜更随着巧克力的融化而蔓延开来。

"其实,也没什么事情,就是想和你单独待会儿,你知道今天是几号吗?"

"11号呀,怎么了?"

"没什么,随便问一问。"

听悄然的口气,11号好像应该是个什么特别的日子,我在脑袋里搜索着,却怎么也找不出能和11号对应上的事件,于是也只好承认她是随便问了一问那么简单。

"呵呵,今天的月色真好。"

说了这句对白,我心里都想哭,为什么我就想不出听起来稍微精美点的话语呢?害我话一出口就换来悄然一阵狂笑:"拜托,今天的月亮都是眯着眼睛的,还月色好?"

悄然收住笑意:"啸!"

"嗯?"

"我觉得,你……你……是不是……"

天哪,她那么奇特的眼神、那么意味深长的口气,她要说什么?难道,是发现我喜欢上她了,她是要问我是不是喜欢她?如果真的是,我怎么办?那她问这个话的意思又是什么?是会说她也不讨厌我,会和我交往,还是婉言说我们都小还不能恋爱来拒绝?我

的天，几秒钟的时间我竟在寒冷天气里冒出了汗水，连呼吸也乱了阵脚，居然接连吸了两口冷气，差点没把自己给呛死！

"是不是……太担心我了？"

不可否认，我的心一下子平静下来，但是居然十二万分地失望着，失望得不知该怎么接她的话，因为我刚才没考虑过那么诱人的口气居然问的是这个问题。

"我同学说你们好像对我的空白试卷非常感兴趣，是真的？"

"呵呵，我就是奇怪她们说你英语考了倒数第一，我是想看看什么样的题那么难。"

"没错，我的确是被难到了，那个题目确实让我情绪一时凝结起来。但是，说实话做那套英语题，对我而言真就像完成一套小学三年级的语文试题一样简单，如果我做，那也一定会得最高分。"

"这点毫无疑问。"

"萱儿的成绩没我好，但是她很努力，初二那年她的英语成绩居然比我还高，我很意外，便开玩笑地说真是不敢相信这是事实，你知道她说什么吗？她说请你相信你眼睛看见的一切！"

"呵呵，你们两个说话都挺有意思的，但是我觉得萱儿不会跟那时的你一样也那么嚣张吧。"

"你和萱儿没有默契，你当然不知道她那句话的意思，她是想告诉我，眼睛里不要只看到自己，不要以为只有自己才是真实的，而后来她在送给我的贺卡上写过的话让我知道我是理解对了。"

"什么话？"

"其实是一首诗。"悄然抬头看着天空，"当你看见我的时候，我知道你被封闭了，只有被情绪关押的人，才始终看见我这双黑色

夜空里飘浮的眼睛，而我，就是你游弋的灵魂，你我相映成辉，这世界却暗，所以请你忘记黑夜里的眼睛，让我也忘了你，始终相信朝日将来，一切成炫！"

悄然念完了，我却找不到话来回应，因为我确实不知道那些话是要说明什么道理，于是佯装思考而假意地点点头："嗯，不错！"

"你呀，别装懂了，那是萱儿在初二时自己写的，我估计她也写得非常冒火，本来她就不喜欢耍弄文字，却又想把她的观点找个好的方式传达给我，还好虽然写得不怎么漂亮，但是意思我了解了。"

还写得不好？这样说简直就把我往死里打击，人家说一首诗要是写得好，就让人看不透想不通，我看萱儿就是做到了嘛！

悄然说话间从口袋里摸出一张小巧的卡片递给我："这是我非常珍贵的收藏，送给你！"

我仔细一看，很朴素的画面，两只鸟儿在蓝天飞翔，打开来几行整洁的英文字跃入眼帘，而落款是萱！我晕，原来这就是萱儿送给她的卡片，那首诗竟然是用英文写的！

但是，对于悄然来说这东西太珍贵了，我怎么能收下呢？

"然然，我觉得这卡片我不能要……"

"你是没勇气要吧，因为它附着的道理你不想去做。"

"不是，你和萱儿送给我的道理我收下了，只是这卡片对你的意义不一般。"

"啸！"悄然突然微微一笑，"其实，我并不是想强加一些莫名其妙的道理给你，教你怎么怎么做人，我也没那个本事，没那个权利。"

我紧张了，她这样说是不是觉得我不安心改好，觉得失望了？

"然然……"

"你听我说完！"

我点点头。

"虽然我没权利，但是你和萱儿都叫我然然，我就必须讲出我想讲的话，你和青格爱跟人打架，其实打架也不是坏事，看你打架的本质是什么，如果是为了哗众取宠为了引人视听，而假借自己所谓的叛逆年龄去欺负弱小，只能一个字送给你们——哀！"

我撅一撅嘴，心想我们好像没那么哀吧，但是也不敢当场辩解，怕她道出我真哀的事情，难以承受。

"但是你们还稍微好点，至少比那个欺负女生的人强了许多，但是你们和林心的事情就真哀了，知道为什么说是哀吗？"

看吧，我猜得真是没错，转那么大的弯子终于看到了斧头铡，我像个小学生一样无辜地摇头，我确实不知道哀在何处。

"哀在你们根本没有成为敌人的理由，哀在你们吝啬一个眼神一句招呼，哀在你们不屑友情……不过，也对，你们有大把大把的友情！"

"……"

悄然没等我说点什么，就起身回宿舍，我送她到楼下时她又说不要担心她的情绪，她说孤单的情绪让人想出许多问题，而那样的情绪就已经不再是本质意义上的孤单，而是一种快乐。

回到寝室，我洗脸上床一言不发，青格和其他室友打趣我一定被悄然洗脑，而我也的确被清洗了一番，过了熄灯时间，林心才从教室温书回来，摸着黑晃荡自己的水瓶，很显然是没有热水了，他

拿着脸盆去卫生间，我说了句：“我水瓶里还有热水，你用吧！”

寝室里顿时哑然，良久传出林心一句小声的“谢了！”

再良久传出青格一声“疯了！”

自己心里说声“‘OU’了！”

（三）青心成情 ••••••

我对林心的态度转变换来青格对我的疏远，他不能接受我对死对头笑脸相迎，有好几天都不再喊我一同吃饭一同上厕所，直到我把悄然讲给我的“哀”告诉他时，他才嗤了一声说本来是没什么的，但是林心错在先，道歉就该在先，还批判我没原则主动跟人家打招呼等于低头认错！对于这文盲，我无话可说，虽然他最终坚持不住一个人单飞又来和我黏糊，但是我知道他还是挺不满意林心，看见人家和我打招呼就在瞪别人同时也会白我一眼，那醋劲让人感觉好像我是他女朋友，然后我又当着他的面跟别人眉来眼去似的……然而，大家毕竟是住在同一个屋檐下的，不管在任何时间一抬头都有可能看到对方，久而久之，我习惯了，青格自己也觉得自己的样子特别好笑，我估计连林心都背地里偷着琢磨这搞笑的场景。

又是个熄灯的时间，青格在晚自习后拖我去球场打了一个多小时的篮球，又在腊月间冲个凉水澡，之后便躺在床上互相听着对方的肚子叫唤，本想翻箱倒柜地找找看还有没有什么时候吃剩的面包，无奈寝室的人都睡了，不好太过分只好强忍着饥饿也忍着笑——和青格此起彼伏的咕噜声在夜里竟然像两只青蛙在对骂！

过了些时候我听见林心在床上扑哧地笑出了声，估计是被我们的咕噜声给吵醒了，我听见他从被窝里钻出来，在自己柜子里倒腾一阵，之后跑来我床前小声说："啸含，我这里有吃的，起来到走廊去吃吧！"说话时还示意让我叫上青格。说完就轻巧地往寝室外走去，而我也蹑手蹑脚地跑去拽拽青格，那家伙在床上翻了个身说不去，是不愿吃"仇人"的东西呢！

林心手里捧着个大口袋，正散发出一股肉的香味，他告诉我说是他家里托人带来的腊肉和香肠。他望望寝室的门，见青格没出来就说："我就知道他肯定不会吃我的东西的！"

"呵呵，他是觉得没面子吧，因为你都没亲自叫他，那家伙挺孩子气的！"

林心笑了笑便将口袋递在我手上："你先吃着吧，我去叫他。"

这时候哪有心情吃啊，马上就跟了上去偷看状况，林心在大猩猩床前伸了伸手又缩回来，起码又站了有一分钟才拉开他的蚊帐小声说："快起来吃东西，啸含都要把肉吃光了！"

沉默，尴尬的沉默！

看着林心在那尴尬里的身影，我都着实替他不好过，走过去把他拉了出来。

"算了，那家伙一时间还转不过来弯，你别在意啊。"

"唉，再半年多就该毕业了，还在意什么呀，大家同学一场也挺不容易的。"

"原来都是这么想的。"我笑起来，却吃不下东西。

"其实，我一直都知道你和青格都不是不讲道理的人，相反你们还挺仗义的，大家闹出那些不愉快也就是各自的性格不同罢了。"

"咳咳……真的吃完啦？"

转过头去一看，青格撅着嘴走到我们跟前还一把抢了我手里的口袋，拿了一大片腊肉塞在嘴里边吃边说："嘿嘿，好香啊！"

　　结果，那天晚上我们才知道原来林心并没有在打架过后跑去打小报告，他只是去跟班主任讲了班上设立纪律委员不但不能维护纪律反而影响了同学之间的感情，所以要求废除这个多余的班委职务，而学校是怎么知道打架的事情他也不得而知，青格听后立即面露凶相。

　　"你，你怎么可以这样？"

　　"怎么了？"林心忐忑。

　　"……"我也不知大猩猩要发什么疯。

　　"既然事情是那样的，你为什么不告诉我们，害我做了件违背原则的事！"

　　"我害你？"

　　"难道不是？你早说清楚，我怎么会告你作弊！那种没文化的事情让我这个帅得人喷血的人做了，你知道我有多委屈吗？"

　　"……"

　　"是有点对不起你，想你头可断发型不能乱，血可流皮鞋不能不擦油的新世纪大帅哥还在女生寝室底下学人'叫春'，真是很委屈你呀！"林心反应过来后调侃起青格来。

　　"嘿嘿，可惜被泼到洗脚水的人并不是我，所以呀你也挺委屈，来来来，吃块肉补偿下。"说着便塞块肉到林心嘴里。

　　"喂，就看在我深夜里给你们倒腾食物的份儿上也不该塞我一块大肥肉呀……"

　　林心艰难地咽下青格塞给他的肥肉，一脸痛苦地抗议着，这时才像是真的委屈了！

　　那一晚三个结怨了两年有余的冤家就在瑟瑟寒风里推心置腹地聊了一夜，林心说自己想得很清楚，必须要考一所好学校，但是又很矛盾，如果考上了又得花很多学费，家里供他上学是比较困难的，光是上个高中都借了差不多一万外债，说话间不免流露出对父母的歉疚感，而我和青格更是恼火了一回，怎么不恼火？跟人家林心相比，我们才真是温室里长大的，最起码我们从来没担心过学费。

　　都说屋漏偏遭连夜雨，越是担心什么越是要遇见什么，临近期末的时候，已经成为我们其中一员的林心突然在课堂上晕倒，送去医院一检查把所有人都吓一跳，居然是病毒性肝炎伴随肝区疼痛，而且即将转为肝硬化。一时间，学校闹得沸沸扬扬，我们寝室乃至我们班都没什么人敢来串门，虽然林心都已经住进了医院，大家也还以为有什么传染病菌残留在他待过的地方。

　　我们去医院看过他，他知道自己的病情后精神相当不好，从乡下赶来照顾他的父母也是愁眉紧锁，一来是担心自己儿子的病情，二来是对大笔的治疗费用而犯愁。

　　从医院回来后，我们都没去吃饭，就望着他整洁的床铺心里挺不是滋味，青格说自己很想帮帮他，但是谁都知道那笔钱不是个小数目，怎么帮呢？电话响起来，是楠楠打来说是她师傅找我们去帮忙，两人才神情萎靡地钻出去。

　　"你们被霜打了？"楠楠居然还一脸笑容。

　　"喂，你有点人性好不好，林心一家子可愁死了。"青格瘪了瘪

嘴，"你不会是因为少了个竞争对手在幸灾乐祸吧?"

"你个烂猩猩，谁在幸灾乐祸呀? 光愁能帮林心解决问题吗?"楠楠气得给了青格一扫堂腿。

"可是怎么帮呢? 就是我一个月不吃不喝也只能有五百块，再加上我嘴巴甜或许可以骗上个几百买东西，也还不够他一两天的药钱呢。"

"然然，你找我们帮什么忙啊?"我问。

结果悄然拿出一大沓纸递给我："去男生宿舍发吧，我和楠楠已经发过女生楼了，学校各个显眼的位置也都贴了。"

我和青格一看那资料的题目原来是"为林心献一份爱心"，顿时豁然开朗，两个人把悄然和楠楠环抱着挤了挤。

"悄然可厉害了，这资料保准专业也保准煽情，上面详细地介绍了什么是肝炎，也介绍了林心的为人和家境，说请大家圆林心半年后的大学梦……"

"我查过资料了，肝炎并没什么大不了，只要治疗及时得当是可以痊愈的，但是如果真的转成了肝硬化就比较麻烦，我写这资料主要是想引起学校注意，然后让学校出面举行一次募捐，等明天下午，我们四个就先去找你们班主任，让他反映到学校去。"

"万一学校不理怎么办?"

"我们应该争取，而且像这种救助学生的募捐活动是很正常的，而且对学校来说也是一举两得的好事，它又何乐而不为? 我们要做的就是反映情况，造大声势，让他们觉得刻不容缓，你们快去吧，我想募捐活动应该在这个星期举行，如果钱太少，我们还得让学校去教育部申请社会募捐援助!"

事情果然如悄然所想的一样发展着，学校对募捐活动很赞成，说是这样一个尖子生如果因病耽误了明年的高考就太可惜，连着几天在广播里宣传这件事，也通知全校师生在周五举行自愿募捐活动，只是让我们意想不到的是，在募捐现场还来了很多报社、电视台的记者，最后学校里总共筹到了一万多元的募捐资金，而且当天晚上就送到了林心手里。

当学校领导和那些风风火火的记者们走后，林心看着我们竟然红了眼圈，没说出什么话就是拉着我们的手，当我们告诉他这件事情是悄然策划出来的时候，他说真想这时候见见她。我才想起然然在募捐完了后就没了踪影，而接着两天放假的时间我也没在网上见到过她。

星期天的晚自习上，我和青格还在回味募捐活动的前前后后，也理所当然地说起我们那了不起的悄然妹妹，但是在说话间我有点不安，因为青格那家伙一口一个悄然好一口一个悄然棒，甚至对悄然来到我们中间的任何一件事都津津乐道，让我不得不怀疑他是不是对悄然有非分之想，正当青格讲得口若悬河我恨得牙痒痒时，突然觉得班里的气氛变了，大家都朝门口望去——咿呀！我的悄然竟然头一遭跑到我们教室来找我，而且还穿着一件紫色的大衣显得楚楚动人，只那么轻轻站在门口不做任何动作就吸引了所有的目光，悄然就是悄然呀！我正想趁着大家眼热独自走到她面前也显摆一下，哪知道还没站起来，青格和楠楠就已经冲到了她面前，青格更是夸张竟然把他的熊掌搭在她的肩上，我跟上去就给他打落下来。

"好难得呀，这是第一次主动上楼来找我们吧?"

"告诉你们个好消息。"

"什么好消息? 我们只知道虽然募捐的钱可以暂时帮助林心,而实际上还差得远!"青格立即神伤!

"现在已经没问题了……"

"……"三个人都不知所以。

后来在操场上的时候悄然才告诉我们,说是那天募捐结束后她就知道那点钱根本解决不了什么,就回去找她舅舅说明了情况,原来她舅舅和她妈妈都是教育部的,而她舅舅说这样的情况得要学校出了证明打了报告才能让教育部出面向社会募捐,或者就在教育系统内部解决问题,也说了会及时联系校方解决的。

听到这消息,我们终于松了口气。

接下来几天,我发现青格每天下午都神秘地失踪,直到自习开始才钻进教室,问他跑哪里去晃荡了,他就说去练拳或者打游戏,鬼才信呢,衣服都没换过会去练拳? 于是在他又一次失踪后回来时,我和楠楠对他进行了魔鬼式拷问。

"说,背着我们干了些什么犯法的事儿?"楠楠撅着嘴踮着脚去扯他耳朵。

"什么呀? 我,我……"

看他那样子我们立即知道他肯定没做什么坏事,因为他一向做了伤天害理的事情后都会是理直气壮的模样。

"嘿,看样子你好像遇见什么好事了哦,是不是哪里去勾引了个妹妹呀?"

楠楠的想法跟我不谋而合,但是当她把这话一说出来青格的反应却超乎我们所想的激烈: "谁去勾引什么妹妹呀,我青格·巴雅

尔也就嘴巴坏点，哪有真去拈花惹草啊？"那副认真样让我和楠楠大吃一惊，这还是那个新世纪文盲吗？两个人张大嘴巴望他一阵又互相对视——

"这是谁呀？"楠楠问我。

"妖怪！"

然后一起笑起来。

"谁跟你们开玩笑了，我可真没去那个什么什么勾引谁。"

"那你这些天不是去约会是干什么去了？"楠楠还没忍住笑。

"我……我只是去给林心送作业题和每天的测试卷子了。"

这文盲哟，原来是去照顾他的死对头了，这确实是好事呀，干吗做得偷鸡摸狗的？更郁闷的是他说出来的时候还像个大姑娘一样害羞，少见！

排开他对林心的关怀令他感觉不好意思之外，我太怀疑他在我们说勾引妹妹后的反应了，从前老是在我们面前炫耀自己怎么怎么有魅力，说是低年级的女生见到他都不眨眼睛，还在我们面前捏造过收到情书的假象，现在是怎么了？开他个玩笑他还来真的，不是明摆着的此地无银三百两吗？

"喂，你该不会真有事情瞒着我们吧？"

晚上和他打完篮球休息时，我还是忍不住自己的好奇心问了起来。

"什么呀？"

青格的眼神立即处于警备状态。

"你看你那做贼心虚的样子，啧啧，老实交代吧这里又没外人。"

"我交代什么呀，我哪有做贼心虚了？"

"哼，亏你还口口声声说是我兄弟，我早看出来了你绝对是偷偷摸摸地喜欢上谁了对不？"

青格的脸倏地红了一片，紧张地说："你真看出来了？"

我的天，这家伙还真有这么回事呀，我继续诈。

"那还用说，但是我只是看出来你喜欢上了谁，具体喜欢的人是谁还不知道。"

"嗯，这个……"

"说吧，让我给你分析分析看有没可能。"

"呵呵，这个人你也认识，学习顶尖的好，做事沉稳、个性十足、眼神总是看不透、一笑起来嘴巴很乖，最喜欢的还是她一头卷曲的长发和她的踢踏舞……"

青格喜欢上了悄然？顿时一个晴天霹雳！

"你怎么啦？"见我呆掉的模样青格撸我一把"该不会你也喜欢她吧？其实我早就怀疑你了才一直不敢告诉你。"

瘪瘪嘴不知道该说什么了，早知道还不如不问他，现在怎么办？闹得这么尴尬！两人互相盯着对方，视线里连接的都是郁闷！

"唉，我好命苦啊，想我青格·巴雅尔活了整整十八个年头，怎么要和自己兄弟喜欢上同一个女孩呀？所谓兄弟如手足女人如衣服，我，我，我说不下去了……"

没想到啊，那句玩笑话在今天还真就让我们兑现了，兄弟如手足，女人如衣服，就见过断手断脚的，没见过不穿衣服的，我从没想过会发生这样的事情，怎么会呢，我原来一直猜青格对楠楠有意思，而他的行为也是处处如此那般地表现，比如他去打石杨甚至打

谁恋爱谁孤单

女生，比如他记恨林心，甚至在初中那个朦胧的年龄他肯定多是对楠楠有特别感觉的，要不然班里那么多女生为何他只去抓楠楠的辫子？只是没想到悄然一出现就全变了！

"你有多喜欢她？"青格问着。

"……"

"看你那死样子真是喜欢上人家了，还诈我呢，被我反诈一盘呵呵。"

"???"

"好啦，我骗你的，我喜欢的人不是你的悄然，放心吧！"

"你个死小子敢消遣我，差点吓死！"心中真是如获大赦一般。

"切，还说是兄弟，这点默契都没有，我倒是早看出来了你对悄然十二万分地着了迷，你居然看不出来我喜欢谁。"

"哼，别臭假了，你刚从内蒙转来的时候我就知道你对人家楠楠有企图，成天扯人家辫子，看见谁对她虎视眈眈就揍谁，就差没把楠楠的名字写在自己额头上威胁别人，你还以为你隐蔽得好？"

"……"

两人一起窃笑，末了青格却大大叹了口气道："喜欢楠楠的路程真是辛苦啊，一堆一堆的情敌，我可怎么办呀？你知道暑假里是谁给她写的信吗？"

"林心？"

"是啊，今天我陪林心在医院里聊天，聊着聊着就聊到开学那天的'叫春'事件，自然而然就说起了楠楠收到的信，我问得很巧妙，他一不留神就说漏了嘴，果真是他写的。"

"是他写的又怎么样啊？从初中到现在给楠楠写过字条写过信

的人不计其数也没见她有什么反应啊，说不定就是喜欢你呢。"

"别哄着我开心了，人家楠楠是认真学习的人，不理会那些追她的人不代表她会喜欢我，况且林心和她是一路人，可以一起讨论问题谈谈什么将来未来的，我就只会打架！"

"怎么觉得你今天有点古古怪怪的，这么谦虚不像新世纪文盲的德行啊。"

"这几天去医院看林心，那家伙很有抱负，对待事情跟我完全是两样，他是需求，我却是在应付，应付学习应付家里应付老师应付自己，眼看着就要毕业了，我怎么应付高考呀，真是头疼！"

难得难得，太难得！新世纪文盲居然也开始担心起将来了，看来林心生了病还坚持在医院里学习的精神触动了他。

那一晚，我和青格头一遭聊着与恋爱、学习有关的事情直到拉闸关灯，我劝青格将来报考体育特招生，那样的话文化分的要求就会大大降低，只要接下来的时间用用功应该还是可以上分数线的，虽然我这样建议他，但是我呢，我对自己的将来依然茫茫然一片。

（四）哭，未泪 ● ● ● ● ● ● ●

末考即将来临，班上甚至整个学校都死气沉沉，我在本该用心复习的晚上心神不宁，就呆呆地盯着教室门口，希望她能突然出现唤我出去……

中午，我意外地接到悄然妈妈的电话，说是已经和悄然的爸爸离了婚，本来想等放了寒假再告诉她的，但是今天悄然打电话回去很直接就问起这事情，说明她已经从某个地方得到了消息，令她担心的是悄然在电话里连着说了几次"也好也好！"阿姨让我找个机

会和悄然聊一聊，但是最好不要主动提起离婚这事情，免得让她认为我们是在联合起来看管她。

可是，我不主动去找她聊这事情，她会来找我倾诉吗？等了一个下午又一个晚上我都没看见她出现，甚至连平时一起吃饭的时间她都缺席了，而这更证明她的确又被情绪所困扰。

最后一节自习的最后十多分钟我再也坐不住了，急急地冲到她们教室窗口前，她居然不在，询问了一下才知道她是最后一节课才离开教室的，去哪儿了呢？打个电话就能知道，但是我在电话里说什么？尽管我还没想到怎么去安慰她，但是我想知道她在哪里，想陪着她，于是站在她们教室外就忐忑地拨通她的电话。

"喂！"

"是我，你在哪儿？"

"在上自习，什么事？"

"……"

"怎么了？"

"哦，没什么，只是问问下午怎么没跟我们一起吃饭，你是不是复习功课忘了呀？"

"呵呵，我们又没定下合同一定要每顿饭一起吃，这有什么奇怪的。"

"好了，我不跟你说了，下课后你到花园等我。"

"为什么……"

不等她说完我就挂了电话，到学校外面买了块蛋糕和一杯热奶茶就奔花园去，结果悄然已经坐在了腊梅树下的长椅上。

"下课铃都还没打你就迫不及待地来等我？"我挨她坐下把奶茶

递到她冰凉的手上。

"你还不是一样没下课就跑来了。"

悄然看上去情绪十分稳定，喝一口奶茶还对我笑着，这让我一时间找不到话说，就傻傻地看着她笑，自己也跟着傻笑。

"你今天的样子有点古怪，是不是又做了什么坏事?"

"没有啊，我今天连最后一节自习课都老实地待在教室里，虽然都没怎么看书。"

听了我故意加重'最后一节'的语气，悄然噗地喷掉嘴里的奶茶："好哇，居然跑去我们教室查我!"

"呵呵……人家说看上去吊儿郎当的人说话即使是真的也没人相信，就比如青格，而看上去一本正经的人说话即使是假的也没人会不相信，就比如我们的易悄然大小姐!你知道我是在哪儿给你打的电话吗?"

悄然摇摇头，但是嘴角上的狡笑让我看出她其实已经猜到了一二。

"当我对着你的空位子问你在哪里时，你说你在自习，我当时就在猜想你说谎时的表情会是什么样子的。"

"哪有说谎? 我是在上自习呀，只不过地点在花园，自习的内容是在梅花树下陶冶情操。"

"……"

都说搞科研的人喜欢实话实说，当记者的喜欢胡说八道，做律师的最爱强词夺理，我觉得悄然最理想的职业便是当一名铁嘴律师!

"好啦，都说过了让你别太担心我，我又不是小孩子，不就一

顿饭没吃吗？还劳费你来客串一把侦察员，小题大作！"

"不是我小题大作，恐怕是你大题小作吧？真就一顿饭的话我倒觉得无所谓，你们女生反正是要身材不要命的，饿一饿其实换取了精神上的愉悦。"

"听你这么讲，那我到底是发生了什么大事啊？"

晕，该是我套她的话，怎么现在变成她在套我究竟知道了些什么似的。

"我就是来问你的，你反倒问我，我哪知道呀？"

"唉，看你一副胸有成竹的样子还在这里跟我磨蹭，知道了就知道了吧，有什么呀，我都觉得没什么，难道你觉得我心情不好？"

"厉害，居然被你看穿了，是啊，今天阿姨给我打电话了，说是你什么都知道了，怕你不高兴让我陪你聊聊。"

"果然如我所料。"

"这是什么意思啊？听你的口气好像是我上了你的套儿？"

"恭喜你回答正确。"

"……"

"不过，我真的挺好的，留不住的不该强求，幸福怎么可能刻意去挽留？越是刻意越是连原本的美好都要消磨殆尽，早散早化怨早结新缘，他们两个实在不该在一起的，根本就是两路人……"

悄然垂着眼帘，说出的话沉稳得像在讲另个家庭的事。从她平静的叙述中我才了解到，原来她妈妈一直都在教育部门工作，加上文化气息浓郁的成长环境，所以思想比较正统也比较刻板，但是他爸爸的生活方式却是另个极端，他不只是张罗着一家大的酒店和一家茶楼，最主要的是在各地搞工程建设，生意场上的尔虞我诈以及为了拉拢关系而没日没夜地应酬，使他与家人聚少分多也身心俱疲，再加上她妈妈本来就不喜欢生意场上那些假排场和假面孔，两人的分歧越来越多，在为数不多的相聚里也常常闹出不愉快。

说到中途的时候，悄然的电话突然响了起来，她看了眼号码，然后又看了我一眼，最后还是没有避讳地当着我接听起来——

"嗯，下课了。"

"和朋友聊天呢。"

"没多想，说实话我还早盼着这天呢。"

"真的没什么，对我来说是种轻松，对你们而言更是解脱，与其像原来那样冷眼相对不如现在这样坦然分开。"

"我是长大了啊，你才发现？爸，你不用担心我的感受，相反我还担心你们呢，那么多年感情一下子放手会不习惯吧？"

"嗯，那就好，妈妈的感情比较脆弱，虽然分手了还是该像朋友一样关心才对，她也跟我说了，说你们会保持好朋友的关系绝不会断了往来，我的要求也不多，想我的时候给我打电话或者你们两个带着你们的新伴侣没事就带我去玩玩，你和小吴什么时候结婚？"

"等我大学毕业？好吧，我一定会和妈妈去参加的，但是妈妈将来的婚礼你也必须来。"

"这个我知道，抚养权在谁手里根本不重要，你是不是担心我会觉得你主动把这个权利和义务交给妈妈就认为你不爱我？不会的。"

"你都说了几次了，我是长大了，所以不要太担心我，我明白你们在做什么，我也知道自己该做什么。"

"嗯，去不去爱尔兰我会仔细考虑，就这样吧，我要挂了。"

"唉，爸——"

"你，要是想我了，给我打电话——"

"嗯，拜拜——"

听了悄然对她爸在电话里说的话，我不知道自己该替她高兴还是替她难过，是坏事也确实像件好事，我能说什么呢，本想着她知道了爸妈离婚后会理所当然的像所有孩子一样感觉到自己受了莫大的伤害，而她说是种轻松是种解脱，我也本想着等她流泪的时候帮她抹眼泪对她说些安慰的话，可是她却克制了自己心底里的委屈再对她爸爸说些安慰的言语。

我想我当时样子才是真有点被安慰的必要呢，一想着刚才她在电话里头说的什么去爱尔兰的事情，我就紧张得要命。

"很惊奇我这样跟老爸说话?"

"嗯，有点儿。"

"看吧，一个无意的电话就让你把我们家那点事全听了去，没错，家庭关系的不和睦是外遇事件顺利发展的温床，就是如此，但是可以理解。"

"可以理解?"

"不理解也存在啊，凡是存在的都是有道理的，两个思想无法沟通的人被捆在一起是件痛苦的事情，只有找到可以互相理解互相赞赏的伴侣才是快乐的，我爸爸和他的助手好上了，以及我妈妈和她同事好上了都不是什么龌龊之事，他们是在寻求精神上的和谐。"看我似懂非懂又说："看以前吧，离婚的少之又少，原因跟各方面的开放肯定有关系，再一个就是日子过好了，人们操心的不再是肚子而是脑子，现在的大部分人宁愿肚子饿也忍受不了精神缺钙!"

　　我点点头表示认可，说实话我都不知道这个连恋爱都没谈过的小女孩为什么脑子里想的东西要这么深奥、这么复杂，在认识她之前我总觉得这世界上我要做的事情就只有吃饭上学打游戏，而现在？怎么这么多问题呀！想着想着自己都笑起来——

　　"小丫头！"

　　听我这么叫她，悄然顿时朝我笑起来："怎么这样叫我？"

　　"你本来就是个小丫头，只是从不做小丫头的事情，别把自己当个大人一样好不好，那样很累的。"

　　悄然停住了笑，很是奇怪地看着我："你……认为你还是小孩子？可以在大人面前撒娇扮乖？"

　　"我知道你又要嘲笑我，但是我确实是那样的，至少在遇见你之前都没变过，我只是希望你可以快乐一点。"

　　"我没有要讥讽你的意思，我只是感叹你可以生活得风平浪静，我也知道你是在担心我，可是毕竟大家的成长环境不同，所以造就了不同的个性，都有好处也都有弊端，也所以人需要朋友，需要沟通，要不然就得走到极端去，你没发现我现在快乐了很多？"

　　我笑一笑："嗯，是没以前那么凶神恶煞了，呵呵……"

　　"去你的，老实说吧，我就是被你们简单的快乐给感染了，但是嘛，你让我别把自己当大人，我也得提醒你别把自己当小孩，我们都该长大了！"

　　我点头表示同意。

　　"然然，你……"

　　"干吗吞吞吐吐的，要问什么？"

　　"你又要去爱尔兰？"

"那是毕业以后的事情了，我妈妈希望我再去那边念大学。"

"念完大学呢?"

"呵呵，我都不知道，而且去不去我都还在考虑中，问那么清楚做什么? 想和我一起去?"

"呵呵……那你要不要我……"

"要不要你?"

"和你一起去?"

"呵呵……"

虽然这是个玩笑，我心里也还是希望她当个玩笑给我个玩笑的回答，但是她只是学我一样傻笑。

她说得对，我们都该长大了，长大的人无疑是多了份责任感，做任何事情都要想到后果，以前我曾设想，如果我发现自己喜欢上了一个女孩，我就会毫不顾忌地对她表白，然后牵着她的手陪她逛街陪她看电影，可是现在我才发现我根本就不敢，相比之下，我真觉得对悄然表白需要的勇气可能胜过一个人单挑四五个壮汉的胆量，想想都感到窒息，而且最可怕的是一旦挑明之后有可能连朋友也做得尴尬了，还是宁愿保持现在这样的关系——做现实里叫她然然的好朋友!

青格对我说过不敢跟楠楠表白是因为觉得自己差她太远，有点自卑的心理，而我，岂不是更像站在地上想摘月亮的傻瓜吗? 从任何一方面来和悄然挑战我都会直接被她 KO，我甚至在想如果她知道我在喜欢她，心里是不是会笑? 笑我自不量力!

不知道从什么时候起自己会没了自信，以前的我和青格从来都认为没人比我们强，在学校里谁也不怕，让那些小霸王都敬畏三

分，谁也不欺负就换来同学的好感，我们就认为自己的世界很是光明了，逃逃课打打游戏打打小架就成了全部的生活内容，我想青格发现自己的空白是因为林心生病，而我发现自己的空白可能就是暑假里遇见了悄然，而且越相处得久就觉得自己越发空白，这是好事还是坏事？

送悄然回宿舍的路上我一言不发就胡乱地想着这些想不通的让我头疼的问题，可能想得太投入了竟然走进了女生宿舍楼。

"喂——站住站住，你哪个班的？这是女生宿舍往里面钻什么钻？"

抬头一看，守宿舍楼的大妈张牙舞爪地横在我面前，再回过头，悄然站在大楼门外望着我强忍着笑意。这才跟大妈解释说自己走路走忘了，便在四周女生诧异的目光里飞快地闪出去，那大妈也真不厚道，我都道歉认错了还在我身后说："谁不知道你们这些男生一天到晚想着方儿地想混进来，说不定上次那个男扮女装混上去的人就是你——害得我扣了一个月的奖金，哼，走路走忘了，我怕你是从来没想起过吧……"

我知道，其实悄然是不想笑我的，她现在对着我笑弯下去又笑直起来再弯下去都只是因为那可恶的大妈！

"好了，别笑了，待会儿就要断气了——"

悄然见我一脸的委屈只好将没发泄完的笑强忍下去，站直了对我说："你来！"

她这个"你来"是指让我将头低下一点，咳咳，我这才想起来自己还是有一样在她面前是 OK 的，那就是我一米八〇的身高！但是低下头去做什么？当我顺着她的意思将头摆在她脸孔面前时，她

竟然坏坏地笑着，我却顾不得思考她到底要怎么耍弄我，因为，因为她的脸离我眼睛的距离不到 10 厘米，连她呼出的热气我都感觉得十分清楚，话说走过路过机会不能错过，当然要趁机看看仔细了——她的皮肤真像我买给她的蛋糕上的奶油，白净透明吹弹可破一般，修长的睫毛在眼睑上映出一圈淡淡的阴影，直棱棱的鼻梁间却有一道柔柔的光，那嘴唇依然泛着微微的紫，我甚至看见了她露出的一小截俏皮的虎牙……

她突然大笑着又弯下腰，因为她在我出神看着她的几秒钟里用自己的围巾把我的头包裹起来，我知道那样子的确可以令人捧腹，只是我都笑不出来，不光笑不出来甚至连呼吸都有点困难。

"好像个卖鸡蛋的，你是不是就是这样混进去的?"

"……"

"你怎么都不笑啊?"

"我，哦，快熄灯了你上去吧。"

都没等她说话我就急忙转身，才走了几步又被她叫住。

"还有什么事吗?"

悄然往我头上指指，我才想起自己还是一卖鸡蛋的模样，赶紧取了围巾走过去给她围上。

"啸!"

"嗯?"

"不要太担心我。"

"但是你得答应我一件事情。"

"什么?"

"不许对自己漫不经心。"

"那，我也有个条件。"

"什么？"

"我希望你对自己认真一点，把自己当个大人。"

"我不知道自己能不能做好，但是我答应你尽力去做。"

"这样的回答就有点像大人样了，希望你这个大人在明年这时候已经在一所好的大学里学做更大的人了！"

"……"

唉，此刻我多想套用一句老爸的话：生意不成仁义在！我可不可以收回先前的话呀？一个不让她漫不经心就要让我这个中等生考上好的大学才能换得，我赔大了！

（五）暖冬 •••••••

期末考试的成绩我又提升了两个名次，这不仅让我自己感到意外，连班主任都觉得诧异，说我到了最后一年里芝麻开花节节高，拿到成绩单的第一时间我就打电话告诉了悄然，我知道她不会表扬我，也知道她依然会泼我冷水，但是我就是想让她知道我是在努力了。

果然如我所想，悄然在电话里这样说：用几张纸来考核的范围能说明什么？况且你名次上升也不能代表你的成绩确实好了起来，说不定是别人的成绩下降呢？考过就考过了吧，真正学到了什么只有自己清楚。

接着她又告诉我说过两天就会回成都，因为她妈妈要到北京去出差大概半个月时间，而且她们也都会在成都舅舅家里过年，这消息让我兴奋了好一阵，原本还痛苦着那么长时间不能见到她，但是

她立马又告诉我另一个消息说是决定要和我一起复习功课，这就不能不称其为哀哉了，本想着自己辛苦了一学期终于可以在家里为所欲为地潇洒一把，回味回味那些被我冷落的游戏，而现在一切都破灭了！

在我正要挂电话的时候，楠楠突然冲了过来抢走电话——

"师傅，那么多天没见到你，我好想你呀，呵呵……"

"我的成绩呀？呜呜，还是没回到前三名，考的是第五就在啸的前面，真是想不通，而且英语拉分拉得最多。"

"你要过来啊？那太好了，我寒假里也不去哪里，到时候我们一起温课，你正好给我补补英语。"

天哪天哪！这个电灯泡！怎么可以这样，我心里顿时升起一股无名火，对着楠楠就翻白眼。

"好的好的，那我就等你来哦，唉，你知不知道你的成绩啊，要我去帮你看看不？"

"嗯，好的，我一定去给找齐，就这样哦，拜拜。"

楠楠把电话交给我看见了我满脸的愤怒就说："干什么？不就几分钟长途吗？小气鬼！"

"鬼？我才遇见你这个讨厌鬼呢，悄然的成绩怎么样？"

"她说她不知道也说她根本就不关心成绩，只是让我把我们的试卷给她找一套，我们去她班主任那里问问，随便帮她把成绩单拿着。"

"嗯，唉，青格跑哪儿去了，我早上往他家打电话没人接呢？"

边往悄然班主任办公室走我边问着。

"他倒是给我打了通电话说是给林心送成绩单去了，林心那家

伙可真厉害，带着病还回来抢走第一名。"

"青格也有点进步哦，居然考了倒数第八，这是他有史以来的最高名次了。"

"呵呵……"

唉，我都不知道我们干什么要去看悄然的成绩，猜也能猜出是什么结果——每科都是第一，每科都在 120 分以上，相距第二名的分差是 105！看得我们俩眼冒绿光，也看见她们班主任一脸惋惜："这么好的成绩为什么不能从我们班毕业呢？"

当然不能从这里毕业了，人家悄然的户口可在乐山呢！

本来的构想是这样——想着悄然回来后，我就把复习地点设在自己家，因为白天都没人不会受到影响，然后呢，把楠楠赶到我那间房里去复习，然后让悄然在客厅来辅导我，到晚上的时候让楠楠一个人回去，反正她们家离得近，我呢，嘿嘿，就送悄然回她舅舅那儿，一路上可以趁机约她去散步或者陪她看看电影吃点东西什么的，真是幸福！

"真好——"

"好什么好，还不把这死猫弄走，看把我的裤子咬什么样了？"

青格狼嚎一样的声音把我幻想中的幻想打破，瞪他一眼便一脚把花脸踹个四脚朝天，它委屈地叫了声"妈哦——"就躲开了！

一个楠楠我还能应付，可是这文盲是我事先没设想到的敌人，他干吗要突然学好，听见我们要一起补习就来凑热闹？我恨死你们这些狗皮膏药了！

"哇噻！天哪！"

楠楠在我房间里惊呼着，我以为是她们发现了我的臭袜子，赶紧冲了进去，结果，她是拿着悄然做完的试卷瞪大着眼睛。

"我对了答案，你们猜悄然做我们的数学题得了多少分？"

看她那表情不是特别高就是特别差，所以我不敢猜，青格也跟着我摇脑袋。

"131！"

"啊？那不是比林心还高？你是不是对答案对错了？"

我和青格一把抢过卷子想要仔细研究一下，悄然却把卷子收了过去："别大惊小怪的，高三本来就没多少新课程，做你们的题也加不了什么难度。"

"那是自然！但是你为什么选那么多题来做啊？"

"对付高考。"

"唉，我师傅就是有远见，才高二就担心着高考了，你说你们两个什么时候能觉悟啊？"楠楠又开始用我和青格当底子来衬托她师傅了。

"我，下学期可能要跳级，明年我们会一起毕业的。"

"啊？"这次我们可是同时惊呼起来。

"是真的，我妈妈已经打电话给我原来的学校了，校长说可是可以，但是回去直接上高三得考试，所以我得利用寒假把你们这学期的功课学完。"

"你的意思是说你下学期就要转回去？"

楠楠问悄然这问题让我打了个寒战，而悄然点点头的回答更让我凉了个透彻。这么说来，也就是过了年她就要离开了。

想着是和悄然度过的最后阶段，我特别珍惜起来，每天很早就起床把屋子收拾得干干净净，趁他们还没来的时候就到超市去补些零食饮料回来，有的时候还会跟他们商量是不是自己弄顿饭来吃，我们的确做过一次，是包饺子，就为了那顿饺子，我们把整个屋子都弄得乌烟瘴气，一个两个脸上全是白面，到最后居然还煮成了一锅猪肉韭菜汤的烩面，不过我们都吃得特别香，香过了在馆子里吃的辣子鸡，而每天傍晚楠楠就坐青格的电动车回去，我就送悄然出去坐公共汽车，往往我们都要走到两三个以外的站去等车，那样的日子过得我很满足也很忧心，因为是过一天就少一天。

而晚上的时候我也觉得不难熬，爸妈回来时我就会跟他们讲起我们四个白天都做了些什么，比如青格每天在最后接受检查的时候要挨我们的批斗、楠楠总是得到悄然的特殊照顾，我老是在洋洋得意时被悄然泼冷水等等，我看得出爸妈对我们的改变很欣慰，而他们也表现出想见见悄然的意愿，但是怎么能见得到呢？他们回来时悄然多半都到她舅舅家了！

有一天老天总算开了眼，青格家来了客人，楠楠感冒了，而悄然依然来到了我的身边，我高兴得连做题都合不拢嘴，唯一有点遗憾的是她说不要互相影响居然和我分房，呵呵，分房学习！但是我在客厅一抬头也能看见她在我的书桌前看书的样子，就这样我也觉得比有那两张狗皮膏药在要强得多，毕竟是我们的二人世界！

中午在街上吃了饭回来，悄然提议打会儿泡泡堂，我很享受和她挨在一块儿的感觉，虽然在峨眉山上我们曾拥在一起取过暖，但是当时谁都不会有情绪去胡思乱想些什么，而此时就这么时不时地接触一下都会让我一阵一阵地发麻。有一局我出师不利，出门就自

杀掉，便看着悄然勇斗群雄，倒不是看电脑，而是偷偷地看她的表情——确实比我才见到她的时候多了些快乐！

"看什么看？"

我的天，那么投入地打着游戏还能发现我偷偷摸摸的眼神？

"我，我是想告诉你一件事情。"

"说！"

"我老爸老妈说要感谢你教好了他们的儿子，想要请你吃饭，都说了好久了，但是他们忙生意的时间又刚好和你错过。"

"真的？"悄然停下游戏认真地问我。

"当然是真的，这件事情我有骗你的必要吗？"

"我也想见见阿姨和叔叔呢，嗯，干脆这样吧，反正青格和楠楠今天也不在，我们两个就放半天假，然后我们去买菜回来做饭，你就给你老爸他们打电话让他们晚上回来吃饭。"

"我……"

"怎么？你是骗我的？"

"没有没有，我只是想说，我只会做蛋炒饭！"

"不是吧，你那么笨啊？算了算了，就不该指望你的，今天我来下厨。"

"你？"

"哼，不要那个什么眼睛看人低，我虽然没有厨师等级证，但是在我们家里还是首屈一指的。"

"你们家？那多半是你爸爸只会煮面，你妈妈只会熬粥，你最厉害可以做出面条粥是不是？哈哈……"

"去你的！"

　　而事实上，悄然的手艺的确还不错，虽然洋芋丝切得有点像薯条，青椒丁也切得方的三角的长方的花样十足，但是炒得都还有滋有味，比我强多了，她说这倒不是在她爸爸的酒店里跟厨师或者跟家里的保姆学的，而是在萱儿家替她烧锅时看来的。

　　"萱儿和叔叔都最喜欢吃芋头烧鸡，我也很喜欢，每次我在烧锅的时候闻到了香味就会趁她转身去看蜂窝煤上的米饭时偷偷吃一块，她就要骂我，说可能还没熟吃了要坏肚子……叔叔有个习惯是每天中午和晚上吃饭时都要喝一小盅的白酒，他有风湿总是在变天的时候关节疼……最好笑的一次是我和萱儿在院子里放'百事乐'，就是那种一点燃就会乱窜的烟花，平时里叔叔都不太爱讲话，看上去很沉默的样子，结果那天萱儿点着了百事乐一甩手就扔了出去，哪晓得那东西一下子就窜到叔叔的眼睛前，把他眉毛给燎了一半，我们两个呆呆地望着他，想笑呢，又觉得不妥当，不笑呢又实在忍得难受，而叔叔的表情更搞笑，皱皱眉想骂我们，但是也觉得不妥，不骂呢又实在气愤，结果我们三人就那样对着你看看我、我看看你，到最后就在院子里哈哈大笑起来……"

　　悄然一边搅动着锅里的芋头烧鸡一边给我讲起她在河那边的快乐，整个脸上都洋溢着幸福，我知道她一定非常想念她的叔叔，非常想念河那边祥和的家，她也一定想给叔叔做饭，想给他斟酒给他盛饭——只是她心里的结始终还打不开。

　　爸妈比往常早了半小时到家，但是也已经快八点了，见着悄然两人都特别喜欢，在饭桌上不停地给她夹菜，爸爸也由衷地夸奖了那一道芋头烧鸡，还说起自己小时候逢年过节我奶奶总是做这道菜来给他们开荤，每每那时他也只是小吃几口，都留着给弟妹了，老妈就喜欢关心人家的家事，不住地问悄然这个那个的，让我感觉好像是在问未来媳妇的情况一般，不过我当时可真有那么点幻想，幻想着这天就是我把自己的女朋友带回来给他们过目的，而他们看了之后就不住地点头说好。

那一顿饭，我们吃了很久也吃得非常开心，而我万万没料到在悄然道别时，老爸和老妈都要留她过夜，说是反正第二天也要一起复习功课的，回去也是睡觉，在这里也是睡觉何必麻烦，而且妈妈见着悄然犹豫时还拿起电话就问她舅舅家电话，说是亲自跟他解释一下，最终悄然也觉得太晚了让我爸开车送她回去也的确麻烦就同意留下来。

爸妈给我在客厅张罗了被褥也叮嘱悄然晚上别着凉就赶紧地睡了，望着他们走进屋，悄然咬了咬嘴唇说："他们真好，和你就像朋友一样!"

我点点头："这是我们之间的信任度问题，我爸说他们信任我，也希望我做出能让他们信任的事!"

"从什么时候以什么方式开始的?"

"从我去乐山看你的时候，以敞开心扉交流的方式开始。"

于是，我便把去乐山前一晚的"战争"告诉了悄然，她听后说："没想到还给你带来麻烦了。"

"你不觉得是一种收获吗?"

"其实，我才发现你比我要成熟，至少你知道用和平的方式解决问题，把你的想法和你要做的事毫不隐瞒地对他们说，这样反而

减少或者避免了误会，而我只会坑蒙拐骗，结果把事情全都弄砸！"

"……"

她一定是在对比了我们去乐山前的行为才突然感伤的，她又想到了是她对家人对萱儿和叔叔撒谎才导致了萱儿的离去，那个伤真有那么重？轻轻一碰就能让她跌进冰窟。

清晨的阳光透过窗帘柔柔地撒在悄然白皙的脸庞上，她睡觉的样子乖得像个婴儿，居然还是嘟着嘴的，迷糊里还会吧唧地咂两下，如果她真是个小婴儿我绝对毫不犹豫就亲她一口，尽管我知道她不是，我还是有亲她的念头，但是得有人向我保证我亲了她她绝对不会知道，既然没人向我保证我当然不敢了……我蹲在床边很享受地望着她，想着这样甜美的小女孩谁能知道她只要睁开眼睛就会让你自动撤离三米开外？

可不是吗？一看见她眼皮动了一下，我就赶紧往门外闪——可是，我怎么那么倒霉，一动脚才发现早就蹲麻腿了，慌张里没闪出去却直接在她眼皮底下跌在床边——我完了，她肯定要以为我对她做了坏事，一定会骂我色狼，一定生气从此不再理我，一定……

"你大清早就表演摔跤啊？到外面摔去，别打扰我睡觉。啊……"

懒懒地烦我一眼，打了个好大的呵欠居然翻个身又继续睡！

"呼——"我重重呼口气，又站了半天腿脚上的麻以及心中的忐忑才一并散去。

"小懒猪——起来了，都9点了，青格他们也快到了！"

"唔——让我再眯会儿，放首歌——"

迷糊着说了一句却是一动也不动，没想到这家伙还这么赖床，

因为喜欢你，
因为我爱上这首歌，
所以我知道我对你着了迷。
我在微笑因为遇见你
虽然夜深却毫无睡意
抽屉里藏着写给你的信
想着哪天把它交给你
我在欢喜因为遇见你
心中有话想告诉你
我心中有一段新的旋律
真的好想好想唱给你听
我把这一首歌献给你
平凡的生活从此不再孤寂
这是最真挚的感情
最真的心意
请让我为你高歌一曲
我对你着了迷
——唐磊《我对你着了迷》

　　只是她怎么不依赖人呢？她的身材比楠楠还娇小些，但是怎么看都觉得楠楠是那种需要保护的类型，而她，总像能保护别人一样，唉！

　　打开电脑，我特意找了那首我在遇见她以后喜欢上的歌，看着懒懒地赖在床的她，我真想对她说，其实这首歌我在无数个夜里都在心里为她哼唱过。

　　窗外的光线渐渐强烈起来，玻璃上凝结着一层水雾，我才想起这已是隆隆寒冬，只是这个冬季真的很温暖，竟然在我毫无觉察下就到了尾声，我知道这是为什么，我当然知道，一如此刻萦绕在我们耳边的歌——因为我遇见了……遇见了让我着迷的女孩！

　　　我在微笑因为遇见你

　　　虽然夜深却毫无倦意

　　　抽屉里藏着写给你的信

　　　想着明天把它交给你

　　　我在欢喜因为遇见你

　　　心中有话想告诉你

　　　我心中有一段新的旋律

　　　真的好想好想唱给你听

　　　我把这一首歌献给你

　　　平凡的生活从此不再孤寂

　　　这是最真挚的感情

　　　最真的心意

　　　请让我为你高歌一曲

　　　我对你着了迷

〔六〕舍，得 •••••••

　　春天来的时候静悄悄的，只是我身上厚重的衣服怎么也脱不掉，不知道为什么感觉这个春季确实比较寒冷。悄然回乐山已经快两个月了，我很想念她……

　　记得我最后一次送她去等公交车时，她说啸你还记得我们曾经有个交易吗，你说让我答应你不再对自己漫不经心，而我的条件是让你做个大人并且考上理想中的好学校，我说当然不会忘记，然后她就笑着说那我们再来做个交易吧，答应我在高考之前不要以任何方式出现在我生活里，也不要以任何方式回应我的偶尔出现，我想了许久最终还是点了头，她又问我有什么条件，我依然想了很久，直到车来了都始终没有找到合适的，她从车窗里探出头对我说既然想不到那就留到以后备用吧。

　　其实，并不是我想不到，只是我想到的太多了，我想她快乐、想她打开心里的结、想她能够坦然地去见叔叔、想她在中国念书、想她永远都不要去爱尔兰、想她能和我在一起、想她等我鼓起勇气对她说我对她着了迷……可是我知道这些我所想到的任何一个条件，即使我说出了口她也不一定答应，就算她答应也绝对都非易事，对她来讲也都是衍生情绪的捆绑，所以我只能无条件地接受她对我的要求。

　　刚开学的那段时间，我非常不习惯，因为没有了悄然，我们回到原来三人同行的状态，或许都回不去了。在学校的任何一个地方都可以让我们联想起她，走过操场，楠楠不经意就会说师傅在这里教她跳舞；走过礼堂，青格又笑起来：还记得吗？悄然就是坐在那

里哭的；花园里我去都不敢去了，怕自己一坐就会耗费一个晚上；可是连站在教室窗前望望远就又看到那个被污水泼到的她，那双看不懂的眼睛我此刻依然看不懂。

后来我强迫自己不去胡思乱想，甚至在桌子上刻了两个字——大人！只要我在学习时间里想起了她就会甩甩头把桌上的这两个字亮给自己看，接着就能有如神助般地投入到功课里，只在入睡前放纵自己的思绪——或者想着网络里叫我对她唱《征服》的"所有人"、或者想着我们公交车里的相遇、或者想着她的踢踏舞、或者想着峨眉山、或者想着她赖在我床上的那个早晨……想着想着我就会稳稳入睡，运气好的话就能在梦里看见她！

青格在我们的鼓励下报名参加了飞行员体能考试，其实，全省的名额就只有几个，虽然要求的身体素质很高，但是和其他艺体特招生一样对文化分数就会大幅度降低，这对青格来说是条很好的路子，然而大猩猩总算对得起从小吃的羊肉和他练过的拳，竟然脱颖而出。

也就是知道自己通过了体能测试，他这才恶补起文化科目来，每天上课只要我看见他的时候一般都是一种模样——看着书紧皱着眉头而且拿爪子使劲地挠头，就像头上有几百斤的头皮屑在等着他挠下来一般！

有时候我也酸他几句："早知今日，何必当初。"

认真了几天的大猩猩不像从前那样好欺负了，当我那样酸他的时候，他竟然还这样说我："说你没文化你还不信，谁能早知道今天呀？谁又能改变过去呀？这话该是这么说的——早知当初，何必

今日! 人只能早知道过去的不足而改变现在以免重蹈覆辙, 我不正做着吗?"

这样的话能是这新世纪文盲说的? 简直是在抢我们悄然的台词! 不过想想也对, 大猩猩的模仿能力是挺强的。

那时候林心也已经病愈回到学校, 那家伙挺记情的, 每天晚自习后都要留下来给青格补习, 有时候甚至是通宵达旦, 而对我不懂的题也是百讲不厌, 那段时间里班里的人都像极了抽大烟的人, 成天都呵欠连天、眼泪汪汪, 但是女生们都特别开心, 因为集体减肥了嘛!

紧张里时间过得特别快, 转眼就到了五月。五一节前一天我回到家, 老爸老妈都爱怜地望着我说我瘦了好多, 也说精神太紧张了面对高考未必是件好事, 竟然在那天夜里睡觉前收了我正在看的书, 说让我上上网或者听听歌, 要不然就直接睡觉, 而我知道没有了悄然的网络已经不能吸引我半分, 所以我宁愿躺在那张她睡过一夜的床上回味曾经有她的日子, 一想就想到了大半夜, 甚至到了爸妈出门做生意都仍然没有睡意。

都分开了三个多月了, 她到底怎么样了, 有好好吃饭好好学习吗, 是不是还会一想到萱儿就黯然神伤, 是不是还习惯坐在学校的某个角落里发呆, 也不知道在忙碌之余有没有想起过我, 想起过我们相处的点滴。

当爸妈离开后, 我一骨碌翻了起来, 几乎是迫不及待就打开了电脑, 因为这个晚上我又一次把和悄然的所有像放电影一样拉通了播映一遍, 而结果是让我发疯一样想念她, 我想对她说话, 甚至想把自己最难以启齿的三个字告诉她, 那样浓重的念头几乎已经让我

决定要那么做也必须那么做，我决定了就在这时候我要违反自己不出现的承诺，我要把心里的话说出来——

而事实上，我并没那样做！我的悄然，我最喜欢的然然，我想她一定最会报复人，就为了当初我泼了她一身污水她就总是在我每次头脑发热的第一时间要还以颜色，而今天她又是怎么知道我在发烧的？

打开那尘封已久的QQ，悄然自醉的头像闪烁得一如她的舞蹈一般动人——

"啸，过得还好吗？一定如我所想的一般努力着吧！有时候我特别怀念在成都和你们一起的日子，但是我知道我们不能一直陷在无休止的快乐里，至少像现在这样紧张的时刻！所以我们都必须舍弃一些东西。所谓舍得即是有舍才有得，而我们舍弃的相对我们将要得到的是无足轻重之物！所以请先舍而后得，我想你一定会做到答应过我的事情，高考结束后我联络你们，希望到时的聚会会是有所得之后的快乐！"

就是这样一段话将我的高烧瞬间降至正常，我笑着把这些字字句句看了一遍又一遍，三个月了，这是她传递的唯一信息，让我知道她还没忘记我，她还想着我，还记得我们的交易，也还说了高考后会找我，我一定要把答应她的事情做到，我也一定能做到，对，我一定能！

当然，我首先要做的是要兑现那个高考前不出现、不回应的承诺，我也一定能做到。

接下来冲刺的时间里我不再受任何情绪困扰，唯一想着的就是怎样对付高考这只魔兽，并把这种高度的热情传递给楠楠和青格，当我们学习疲累时就会说起高考后的聚会，幻想那时候的情景，于是为了美好愿望大家就又投入厮杀！

一天夜里，青格在回寝室的路上问起我究竟会不会在高考结束后向悄然表白，我说那要看我能不能做到答应她的事情。

"要是你不能考上好的学校，是不永远都不说出口？"青格侧目。

"她让我答应的事情不只考上大学这么简单，而是要我长大。"

"长大？你以为你还是小孩？我们已经到了要承担法律责任的年龄了，你还装什么清纯？"

"有的人活了一辈子或许都长不大，这跟年龄有什么关系，那你说悄然她长大了吗？"

"悄然那家伙是比我们的想法复杂得多，而且心里承受的东西也多过我们，说实在的，在悄然来到我们中间以后，我才发现人是可以做很多事情，也能做好很多事情的，以前就觉得楠楠最了不起了，成绩可以那么好，也可以那么乖巧，但是和悄然相比，她还确实像个孩子，悄然不仅可以把自己想做的事情做到更好，而且她还不断地思考着问题，想通了之后就会选择最适合自己的方式去对人对事，你觉得呢？"

"你观察得还挺仔细嘛，但是我倒希望她能和楠楠一样过得简单一点快乐一点，虽然她也一直说她很快乐，可是她的快乐往往是用过度的思考换来的，不是简单的快乐！"

"唉，每个人有不同的性格，或者她认为那样的生活方式能够得到乐趣，还有就是她所面对的环境也促使她那样过早的成熟。"

"也对，好了不说悄然了，我怕我又要头脑发热，说说你吧，感觉有把握吗？"

谁 恋 爱 谁 孤 单

"对考试还是对楠楠?"

"我晕!当然是考试,这时候别东想西想的,从那么多人里脱颖而出太不容易了,可得加把油,到时候当个在天上飞的人多牛啊,唉,你开飞机的时候顺便也带点马奶酒,我就去举报你酒后驾驶飞机,哈哈……"

"晕,那我就把你拖上飞机然后在空中把你扔下去!唉,谁不想牛啊,但是我那成绩如果能合格真是母猪都能上树了。"

"什么时候连你这帅得人喷血的大帅哥都如此谦虚了,世道真是变了啊!"

"说我?你这遇见事情就暴跳如雷的家伙还不是奄奄一息就要断气的模样。"

"呵呵……那你有没有想过向咱们小楠妹妹道出三字真言哪?"

"当然想过,如果真能去读飞行员,我就向她表白,不管她对我是什么想法我都得说出来,要不然可得把自己郁闷死。"

"嗯,支持!"

等待考试分数的日子如同在水深火热中煎熬一般痛苦,而我估算着自己的分数要上一流大学似乎非常悬,到底在志愿表上填哪所学校、哪个专业?老爸说其实哪个学校并不是最重要的,主要得把握好自己的专业,一定是要自己非常感兴趣的才能学得痛快,将来找对口的工作也能更好地发挥,于是我一个人思考了许久最终还是填报了省内最好的一所电子科技大学,而专业就是计算机应用。

之后我很忐忑,不知道这所学校能否被悄然认可,而且就连这学校我也没有十足的把握会被录取。

　　楠楠对自己的分数很有信心，她填报了北师大，很早以前她就说最想做老师，而我们也觉得她那张喋喋不休的嘴确实适合教育学生。

　　而青格，他的心情在考完试之后就跌入了谷底，说是绝无可能通过，最近几天躲在家里跟自己过不去，我也想着今天去学校看分数时要好好劝劝他。

　　果然，我的分数和我预计的相差无几，高出我填报的学校录取线三十多分，虽然也上了更好学校的线，但是如果我填报了也绝对会因择高录取的方式被刷下来的。楠楠的分数也上了北师大的录取线，但是非常严峻，可能就在刷与不刷之间徘徊，所以她显得很忧虑；而青格最终也还是如他所料的被彻底宣判死刑，分数差了一大截！

　　"算了，想太多也没什么意思，大不了再读一年，用你这一两个月的刻苦精神去拼一年，我想你一定可以成功的。"楠楠说完又转向我，"啸你说是吧！"

　　"嗯，我们相信你大猩猩！"

　　"唉，看吧就是坐着不嫌腰疼，你们俩可好了，就等着收录取通知书，我呢，都还没想到暑假完了到底做什么。"

　　"什么呀，你看我那分数悬乎得不得了，都有点后悔第一志愿填了北师大，还是人家啸考虑得周到些，起码可以稳扎稳打，只要专业是自己喜欢的。"

　　"那如果不能上北师大你怎么安排？"青格问着。

　　"不知道啊，我老爸他们倒是说可以考虑第二三志愿，但是北师大是我的梦想啊！唉，不知道悄然的分数下来没？她一定考得非

常不错，我的成绩为什么没她那么好啊？唉，啸，她跟你联系没有啊？我打她电话总是关机。"

我无奈地摇了摇头！

半年了，她给我唯一的消息就是"舍得"，我原以为她会在高考结束后就联系我的，结果却从未出现过，于是我才知道她肯定是想等了录取通知书才会见我，我能做的就是等，等我的录取通知书，等她拿录取通知书，等她 Q 我！

八月九号我终于从邮递员手里拿到了梦寐以求的录取通知书，电话里知会了还在服装城忙生意的老爸老妈，他们都很兴奋，说是晚上回来好好庆祝一番。而我们一家人还没庆祝前，青格和楠楠倒是跑过来大大地敲诈了一盘，让我请他们去海吃了一顿！

楠楠最终还是没被北师大录取，但是收到第二志愿西南师范大学的通知书，也决定要去就读；而青格已经从落榜的阴影中走了出来，说是已经和家里商量好了不会去复读，而要直接到大学里念自考，还说自考虽然压力大，但是未必不是好事，信誓旦旦地说要把这两个月的精神在大学里发扬光大继续努力，看他那假正经的样子我和楠楠就差往他脸上吐口水了，他倒不以为然，居然还教训起我们——

"同志们你们要小心啊，我知道你们在过去为了高考付出了血与泪的代价，但是大学并不是终点，千万不要放松呀，党和人民都看着你们哪——"

"滚你个死蛮子！"

他话还没说完我就翻他白眼，但是楠楠却是很认真地点了点

头："青格说得没错，在大学里往往入学分数极高的学生到毕业后找不到好工作的占多数，这个我可听得多了，而且多半都是因为当初对付高考太过压抑，到了大学就彻底放松，玩的玩，谈恋爱的谈恋爱……"

"那，你到大学谈恋爱不？"青格突然打断了楠楠的话，而且眼睛里还闪闪烁烁的。

"我……"楠楠一下子尴尬，接着就说，"关你什么事啊？担心你将来的自考吧！像个女人一样爱管闲事！"

"……"

青格也有说不出话的时候？不知道是被我突然响起的电话声打扰了，还是本来就无法应对，一看电话我就不由自主倏地站了起来——我的然然！

"然然——"对着话筒我就激动地叫出声，结果手机铃声依然还哼着国歌，才发现我居然连接听键都没摁，看得青格和楠楠在一旁朝我翻眼瘪嘴的。

"然然，你终于出现了！"

"呵呵，是啊，有好消息吗？"

"我今天收到录取通知书了。"

"自己满意吗？"

"我满意，但是……"

"自己满意就好，那楠楠和青格呢？"

"哦，我们正一块儿呢，他们俩敲我竹杠让我请吃饭。楠楠被西师大录取了，青格没上分数线，但是他现在已经改头换面，连说话语气都变成你那样让人难以琢磨了，时常会冒出点自以为是的观

点来教训我和楠楠，他决定去读自考，很有信心的样子。"

"呵呵，那总算是有所得啊！说好了聚会的，你问问他们愿意来乐山看我吗？"

我转身问那两个死盯着我的人："悄然问你们想不想去乐山看她。"

"哼，还问这种话，我想她都要想疯了，这没心没肺的家伙，我来跟她说！"楠楠一把抢走了电话对着电话就撒娇，"师——傅——我想你啊，你太没良心了，居然可以半年不理我们——"

结果，楠楠告诉我们悄然卖关子不说自己考得怎样，说是等我们去了再告诉我们，三个人商量好各自回家收拾东西，准备第二天就去乐山见我们的然然，原来大家都是迫不及待的，是啊，也只有然然才能让我们这样的迫不及待，当然心情最激动的肯定是我！

爸妈头一遭在下午5点就回到了家，一回来就把我的录取通知书看了又看，满眼都是收获后的喜悦。其实，那东西我一拿到之后就觉得心很平常了，多的是另一种困惑——我到底在这学校里能学些什么？我在那里能变成悄然口中的大人吗？

"别看了，不就是一张纸吗？有了这张纸我们一家人还是不能出去旅游的，要等我通过这张纸学到了本领才能实现我们的愿望，都不知道你们在高兴什么？"

我笑着夺回通知书，爸也笑着拍我的肩膀："好，只要你抱着这种心态去学东西我们就放心了！"之后又和妈妈对视着继续笑，老妈一挥手："走，今天咱们一家子去豪爽一把，去海鲜酒楼撮它一顿！"

"妈、爸!"

两人睁眼望我:"什么事?"

"我明天要去乐山!"

"看悄然?"

我点点头:"这次是和青格楠楠一起去,我们约好了有所得之后去聚会!"

"有所得?"

"嗯,悄然说舍得舍得即是有舍才得,她让我们暂时舍弃半年的轻松去获取机会,所以半年里我们约好了大家都不联络,在有所得后痛快地干杯!"

"好啊,你们几个这样的朋友在这时候比较难得了,亏得遇见人家悄然懂事啊,要不然我看你这家伙还是个中等生,呵呵,去吧去吧,如果她有空儿也叫她再来咱们家作客!"

我们坐了头班车赶往乐山,才9点多就见到了候在车站接我们的悄然——半年了,她看上去更加成熟稳重,头发也长了许多,站在人群中依然显得安静从容,但是一听见楠楠边跑着边叫师傅时脸上立即绽开了美丽的微笑,也跑着过来和我们抱作一团。

寒暄几句便带我们钻进她妈妈为我们预备的车朝她家奔去,一路上我们交流着分别后各自的经历,嘻哈打笑地回想过去竟然才发现半年里我们确实生活得相当充实,而悄然也开始说起自己的学习情况以及高考成绩——

"回这边学校的第一件事情就是跳级考核,理所当然很顺利,只是你们一定都很关心我的高考情况是吧!"

"那当然，快说考取了哪所学校？"

楠楠一脸的好奇，我和青格当然也是，我们曾经猜想过以悄然那种学习像不费力气的人肯定要报考北大或者清华再不然是复旦。

"我前几天收到了复旦大学的通知书！"

"嘿嘿，我们还是猜对了哦，晓得悄然的志愿不会脱离这三大名校的范围！"青格立即得意地说。

"但是前两年我可能不会在上海念书，我要去爱尔兰留学，都在准备留学生出国考试了，其实很简单的，主要是外语！"

"？？？"

三个人立即愕然，而我的脑袋里嗡成一片，她还是要出国！

"那你这边的课程怎么办？难道放弃这么好的机会？"

悄然摇摇头说：　"已经协调好了，高考之后我和妈妈去了一趟上海，最后敲定下来前两年的课程我会在网络上学习，也在网络上和学校的学生同步考核！爱尔兰那边的课程只要两年就可以完成，之后我会回这边继续攻读我的外文专业！哦，我在爱尔兰选修的是法律！"

看吧，我早说了她那张嘴天生就是吃律师饭的——强词夺理！

"唉，干什么弄得自己这么累呀，照我考虑的话，读个复旦出来，再依你的口才当个高级翻译不就完了吗？"楠楠百般不解，"那你最后到底想做什么？总不可能做个国际律师吧！"

"有什么不可以？"

"……"

（七）走过那条河 ●●●●●●●

悄然的家在一个小镇上，但是那派头却像城里的别墅，站在窗口就可以看见大河，以及河两边的长着胡须的树，她告诉我们这就是去年我们看睡佛时前面那条，是岷江的一段，而那些胡须树被当地人称为老人树。

"晕，那也该有的长有的不长嘛，都长了胡子那不是都是男树？"

"……"

青格啊青格，你怎么就不能说点有建设性的话？

悄然在家里准备了很多东西招待我们，她们家保姆也正在厨房里忙活着为我们张罗饭菜，悄然说阿姨知道我们要来就亲自排了菜单，要慰劳我们这些受了酷刑的可怜虫。悄然的卧房很大，但是东西却很少，一排六门的衣柜很是显眼，然后是一张床、一把老板椅、一张转角的书桌，书桌上摆着笔记本电脑。

楠楠很是惊讶悄然的衣柜："我的天，你们家里的衣服都在里面？这么长一溜，我看看悄然的漂亮衣服！"

说着就哗一声地拉开，并没如我们所想的一样有一大堆衣物，只是整齐地叠着几件夏天的体恤和牛仔裤，我才想起阿姨曾经对我说过悄然把那些价格不菲的名牌衣服以及多余的物品都捐出去了，我想她原来还真的很爱臭美吧，一定是用了很多的名牌来压这柜子。

"我都没什么衣服的，而且这时候都不需要讲排场，我想等念完书上班的时候还是该添置点适合场面的衣服的。"

楠楠咬了咬唇点头："嗯，我要学着点，家里的衣服都堆成山了，我妈说我以后可以直接去开服装店，天天自己当模特，一天穿

一件，穿过的还可以卖成钱，呵呵！"

"萱儿以前也这样说过我！"

悄然从来没在我们三个人同在的时候说起过萱儿，所以她这一句话让我们顿时哑然。

"呵呵，怎么了你们？怕我自己找情绪？"

"嘿嘿……不是不是！"都摇头晃脑，只是心里确实没底儿！

"我知道啸是大嘴巴，他遇见点儿事你们要是不知道才奇怪呢，峨眉山回来第二天你们三个一起来找我我就知道他给你们讲过我的萱儿了，其实有什么啊，我的朋友就是你们的朋友，萱儿也一定非常喜欢你们，但是她肯定会最喜欢楠楠，因为……"

悄然拖了拖声气，但是不再说下去，只是很亲切地看了楠楠一眼。

"我知道萱儿为什么会最喜欢楠楠！"青格又开始了谬论，"因为你最喜欢楠楠，她爱屋及乌。"

悄然笑着摇摇头。

"那就是你们都重女轻男，我和啸虽然长得不怎么样，但是你们也不能嫌弃我们呀？"

"去你的，自己长得像猩猩干吗硬说我是你兄弟？要嫌弃就嫌弃你一个就够了！"我极度不满意地反抗着，逗得他们直笑！

悄然坐在椅子上打开了电脑，说给我们看一样东西，结果屏幕一亮起来，我们的眼睛也跟着一亮——桌面背景居然是楠楠的照片，非常漂亮迷人的一张脸，笑得甜极了。

"哇噻！你怎么有楠楠的照片，这张我们好像都没见过哦。"青格说着，"死菜篮子的这一张是照得最好的！"

"我……我……"

　　我们转过头去看楠楠的表情，她甚至比我们还要诧异："我没有给过你照片呀，我也没在这里照过照片呀，我……"

　　"???"天，这是怎么回事？难道是悄然用电脑做的合成图片？不像呀，那背景那人物都很自然，要是处理过的也不该选个农家院子做背景嘛！

　　"这不是楠楠，是——我的萱儿！"

　　天，萱儿？她，她怎么和楠楠这么相像？简直就分不出来，不不不，再仔细看我发现她的气质、她的眼神、她的穿着和楠楠好像是有点区别——眉眼里全是甜美，让人一看就觉得世界很光明似的，虽然穿着极为朴素但是掩饰不了的是她大方的气质，她比楠楠感觉成熟稳重些，是那种让人不敢在面前表露轻浮的类型！

　　悄然回过头时，眼泪已经落了下来："我就是这么跑去你们中间的！"

　　原来，一切都不是巧合，难怪悄然看楠楠的眼神总是很特别，也难怪她看见楠楠要摔倒时竟然可以用那么快的速度拉起她，难怪呀！

　　跟着，我们看见一张我们三个都很熟悉照片——那张刚在网络遇见悄然时发给她的我们三人的合影。

　　"啸，还记得这照片吗?"

　　我点点头："那天你突然问我什么样的女孩最可爱，我只熟悉楠楠，就把这合影发给你了。"

　　"看了这照片，我就哭了，虽然我知道里面这女孩不是萱儿！"悄然边说边抹干泪水，"不要怕我哭，能哭对我是好事，有了情绪就释放，我已经学会了！"

我们三个共同点头，但是依旧陷在这突如其来的惊异之中——太不可思议了！

　　接着悄然拿出从前的照片给我们看，全是她和萱儿的，而且大多是在萱儿的家里——

　　"看，这是她们家门前的大水沟，我第一次去的时候就栽里面了，结果全身湿透从里到外都换上了萱儿的衣服，从那时候起我就喜欢上了这样简单朴素的穿着……这是她们家的灶台，萱儿总是把它擦得干干净净，我就总是坐在这个小板凳上烧火……这是她们家的油菜地，花开的时候我们就在这里照相……这是她们家后面的河，其实就是我们家门前这条河的下游……这是院子后的竹林，春天会发很多的嫩笋，萱儿用它炒肉片味道可霸道了，我们还在这里逮过笋子虫，但是萱儿不许我烧来吃，只玩一会儿就命令我把它们放了……这就是萱儿的小屋，她喜欢画点漫画，喏，这墙上贴的东西就是她画的花音里的女孩子……她们家的芋头够大吧！那天我们俩在地里挖芋头准备拉到她们镇上去卖，结果发现一个硕大的芋头，我就赶紧拍下来了……她家的猪，呵呵……她家里的柴堆……这个是我们一起参加晚会时跳舞的照片，看萱儿多美啊……这个，这个就是……"

　　那肯定就是她一直无法面对的叔叔了，样子憨厚老实、面容慈祥、和蔼可亲，当时的情景一定是在吃饭中，叔叔手里拿着个塑料杯子，另只手却像是在挥手阻止她们给他照相。

　　"不知道他现在还是不是每天都小喝几两？"

　　悄然合上了影集叹了口气又对楠楠说："你喜欢萱儿她们家吗？"

　　"当然喜欢，好温馨、好恬淡，是一种平凡的幸福！"

悄然舔了舔嘴唇，并没说什么，我知道她心里一定是说：可惜我把这一切都毁了！

"然然，你要出国了不去看看叔叔？"楠楠问着。

"你愿意陪我去吗？"

悄然第一时间就认真地望着楠楠问，似乎这问题她思量了很久一般，而我猜这的确是她早先设想好的，想趁着我们来然后带楠楠去见叔叔！

楠楠半天没反应过来，很是奇怪地望了我们每人一眼。

"我真没别的意思，只是想让叔叔看看你，真的没想别的什么，你不要误会我了。"

"没有没有，只是今天的事情都好让人诧异哦，我都不知道原来自己和萱儿一个模样，我本来听了啸给我讲起她时就非常喜欢她了，只可惜都没见过她，悄然，我非常非常愿意和你一起去看叔叔。"

"楠楠，谢谢你！"悄然眼中又蒙眬起来，楠楠一把握着她的手说："我知道我不能代替萱儿，但是我希望自己和萱儿一样也能做你的好姐妹。"

"真是的，干吗把我们两个晾在一边，重女轻男！我也要加入！"青格又开始捣乱。

"去你的，你那猩猩样能加入我们美女军团？你还是和啸打堆好了！是吧悄然？"

"干吗又把我扯上，说了要排挤就排挤他一个人好了，我怎么这么倒霉啊？"

"呵呵……"

　　第二天早上阿姨说送我们过河那边，悄然拒绝了，她问我们愿不愿意陪着她一路走着去，我们当然十二万分的愿意，因为那条路是悄然的心灵之路，承载了她内心太多太多的快乐与悲痛，她终于肯让我们一起分享，我们才觉得欣慰呢。

　　"拿去吧，这是你省下来的零花钱，当初你让我给你开账户我就知道你的用意，我和你爸也加了些进去，我可等着看你的表现了！"

　　临着我们出门时，阿姨递给悄然一张存折和一张卡。

　　"妈，你，谢谢你！"悄然惊讶了一瞬然后抱了抱阿姨，"我本来想等大学毕业工作了再拿给叔叔的。"

　　"傻孩子，你叔的身体本来不好，做那么多的活儿很辛苦的，可以建议他在镇上开个小店子维持生计，等你工作以后就替萱儿尽孝吧！我也知道你非要同时完成两边的学业的目的，你不想浪费时间是吧？"

　　然然含泪点头："原来你什么都知道。"

　　"当然该知道，我可是你妈妈呀，原来还猜想你扭着脾气转去成都的目的，结果第一回看见楠楠时，我也明白了，有些事情是需要自己过滤的，我不能帮你分担，也不能一味地劝解，人只有靠自己思考才能长大，唉，不愧是我的女儿，这一天比我想象来得早，我以为至少要你大学毕业才能听到你说要去看叔！"

　　我才知道，原来我的悄然是这样炼出来的，熔炼炉就是这样一个妈妈！

　　过了桥，悄然在那山坡下的转弯处停了会儿，她说是歇歇脚，

但是我们都知道，那是萱儿出事的地方，谁都没说什么只是心里都追想着那天发生的悲惨景象，离开时，楠楠走在最后，我看见她狠狠蹬了蹬地面——估计是怪那下面不长眼的土地佬吧！

"萱儿有时候挺搞笑的，她骑自行车的技术很好，能双手放了车把在这条路上飞奔，有一次我们一起骑车到她们家去，因为是冬天，她就把手套给了我，还笑嘻嘻地说给我表演一下她的拿手好戏，你们想想看，一个看上去温柔可爱又文静的女孩子很潇洒地把双手揣在裤兜里然后把脚踏车踩得飞快的模样，我当时跟在她后面都笑得跟喝醉酒一样歪歪扭扭地骑车，她还洋洋得意时不时回头对我笑，结果就在经过前面那栋房子时，有个小男孩指着她用这边的土话说：'哎呀，你好吊哟，还学人家丢龙头儿！'后来发生的事情就是噼里啪啦我们俩栽到一块儿！摔得可真疼，但是又觉得太好笑，就一边抹眼泪一边在地上望着对方笑，可恶的是那小孩居然还把他们家的人叫出来一起看热闹……那前面以前有个修自行车的，萱儿说那修车师傅有点缺德，总是在他摊子前后的路上弄些玻璃碴子或者钢钉什么的，她以前还想怎么自己运气这么好，每次车胎爆了抬头就看见修理摊，久而久之才想通这其中的蹊跷，后来只要到了这一段路她就会特别注意地面……"

悄然一路上几乎没停地跟我们讲着自己和萱儿在这路上经历过的点点滴滴，而路上的一切事物她都像了若指掌，像是自己回家的路一样熟悉，而我也第一次感觉走路居然可以丝毫不累，二十多里路像是没走多久一样。走进一条蜿蜒的村路时，悄然的脚步变得缓慢而犹疑，于是我们知道马上就要到了，我甚至望见了远处有一条大的水沟，而水沟附近的那个院子似乎就是照片里的那一个，隐约

看见院门敞开着，再近一点我看见了一个人正坐在里面用竹条编着什么，我想悄然也一定看见了，她停下了脚步愣愣地盯着那院子。

"我叔——"眼里的湿润变成一团蒙眬，然而她立即深深吸一口气像在压制自己的情绪，只是脚步还是没能移动，楠楠估计有点感伤这样的场面，一下子躲去青格背后，我看见她在抹眼泪。

叔叔在无意抬头间一定是瞥见了我们，他左一晃右一晃似乎在仔细打量，而突然间他丢掉了手里的竹条慢慢地站起了身，他一动不动地站在原地，视线全投在悄然身上，悄然使尽全力想要控制眼泪，却是全身都颤抖起来，我走过去拍拍她的肩听见她的呼吸里带着哽咽，叔叔迟疑着脚步一碎步一碎步地朝我们靠近，悄然的眼泪在她扑通一声跪在地上终于宣泄而出，而叔叔立即跑到跟前要扶她起来——

"瓜娃娃，快起来，快起来……"

"叔——"

悄然扑进叔叔怀里发不出完整的声音，叔叔也抹了一把泪。

"好咯，快起来，大路上一个跪着一个蹲着人家看到了要笑。"

良久，叔叔又试图拉悄然起来，她却摇摇头："叔，让我再跪一会儿，然然有话跟你说。"

悄然从口袋里掏出自己的录取通知书递到叔叔粗糙的手上："这是我替萱儿考的，她一直想考复旦的外文系。"

叔叔握着通知书，手微微地颤着，边点头边又去抹一把泪："好，好……"

"叔，我马上就要到国外去了。"

叔叔立即皱起了眉头："去国外做啥子？还回不回来?"

"不要担心,我只是去读两年书,然后就回来完成萱儿的理想,但是走之前我希望你答应我一件事!"

"快说,只要叔叔做得到就一定答应。"

"叔——"

悄然叫了一声便磕了三个响头:"让然然替萱儿孝敬你……让然然做你的女儿……"

两人用泪眼交织着情绪,叔叔再也忍不住让眼泪在那张刻满岁月沧桑的脸上纵横而下,良久,他才深深地点点头把悄然扶起来:"叔叔答应……"

"爸——"

悄然用一个字打断了叔叔的话。

"好,好,乖女儿,走,我们回家去坐着说,让你的朋友站久咯,走走走。"

"爸——等一下,我先给你介绍我的朋友。"

这时,叔叔才开始打量起我们,而楠楠也才收住眼泪花着脸从青格背后钻出来,我看见叔叔的脸色一下子变了,他的目光在楠楠的脸上惊诧地搜索着细节,嘴唇轻轻地发着颤,连手上的通知书滑落在地他都毫无察觉。

"叔叔,我是悄然的朋友,我叫楠楠!"

叔叔走上前依然十分惊异,过了一会儿才说:"跟我们萱儿长得很像,只是萱儿的眼角有点向上弯,鼻子还要小点,嘴巴最像,真是一模一样……乍一看真是把我吓了一跳!"

亲人就是这样,我们谁都没分辨出来,他却在几分钟里看出所有的不同之处。

　　一进院子，叔叔和悄然就给我们找板凳坐，叔叔收拾起未编完的晒垫就推出一辆二八圈的老自行车，说要到镇上去买点好菜回来为女儿考上大学庆祝，悄然说不用了，就随便炒点素菜就可以，他却执意不肯，骑上车还回头叮嘱我们去堂屋看电视。

　　"唉，太好了，然然你要为你和萱儿的爸爸加油哦！"楠楠边给悄然擦脸上余下的泪一边说着。

　　"我会的，谢谢你楠楠，如果你在大学里有空闲的话，就给我爸写写信寄点照片吧，他一定会很喜欢你的。"

　　"嗯，没问题，如果寒暑假没什么安排我也会替你来看叔叔的，你放心吧！"

　　"你看你看，这两个人什么时候把我们放在眼里过？都不叫我们来玩？"

　　"青格·巴雅尔——你能不能消停一会儿啊？"

　　"好了好了，不闹了，我去做饭！"

　　"……"我突然想起她的炒薯条，刚要调侃一下，青格却发出万分惊奇的声调："悄然会做饭啊？怀疑中！"

　　"青格·巴雅尔——我不许你怀疑我师傅！"

　　"什么吗？好像我真是长得丑招人恨似的，怀疑就等于疑似——疑似不会做饭又不是确诊不会做饭……"

　　"我看你不仅疑似非典还确诊禽流感呢！"

　　"你！哼，好男不跟女斗。"

　　"哼哼，好女不跟猩猩争。"

　　"……"

两个人说了不争不斗却是越来越上劲，在院子里吵得面红耳赤，把正在啄沙子的鸡吓得叽叽喳喳地乱跑！

"啸——"悄然突然对着一只鸡唤我的名字。

"不是吧！我又不是鸡！"我万分地委屈着，却没想到这句话让她们哈哈大笑起来，本来悄然的情绪还没完全转换过来，这一笑还真为难了她的面部肌肉。

"一群色魔，都不往好里想的烂人！"我自己也笑过后还是要骂一骂才觉得解气。

"我只是想喊你帮我杀一只鸡！"

"芋头烧鸡?"

"嗯!"

把整只鸡和芋头倒进锅时，四人围着锅十二万分地感叹着——原来挖芋头和杀鸡真不比考试轻松啊！

那鸡是我和青格两个人合作杀掉的，我闭着眼拿着刀，青格闭着眼拉着鸡脖子，我割割割，割了半天都像没什么反应，睁眼一看，自己把刀拿反了，也顺便看到那鸡居然还悲哀地望着我，天哪，我怎么下得了手啊？这么无辜的眼睛真是太具有杀伤力了，青格见我半天没动静睁开眼就问我是不是在想是杀鸡好还是自杀好，一把抢了菜刀把鸡递给我，还是他比较残忍，三下五除二地差点把鸡脖子都割掉，把最后抽搐了几下的鸡放在盆子中，我就去把蜂窝煤上的开水提来倒上去，我的好家伙，那鸡居然在水一倒在身上时就噌地站起来跳出盆子还乱跑——

那时悄然和楠楠也正好从地里挖了芋头走进门，看我们两个惊恐的样子很是不解，楠楠一边挠着手臂一边嘲笑我们是不是遇见鬼

了，我们还真就鸡啄米一般地点头，然后告诉她们原委，而楠楠也委屈极了，因为她被芋头的绒毛弄得双手针扎一样有麻有疼，悄然说是故意没告诉她让她记忆深刻。

鸡煮到六七成熟时，悄然把它捞了起来放在个大盘子里，青格嘿嘿地笑："早看出是个外行了，芋头烧鸡不但不是用整鸡，也不会煮到一半就捞出来，楠楠，看来你师傅已经确诊为不会做饭咯!"

"你这个没心眼儿的，今天什么日子啊，要庆祝就得让萱儿一起庆祝嘛!"

"楠楠说对了，我猜我爸硬要出去买菜定是也想着带些香、蜡，农村里兴这个!"

如悄然所说，叔叔回来时，我们看见他车上的确有一包香、蜡，他还没停下来，悄然就端着鸡对他说："爸，我们去看萱儿!"

路上，悄然一直走在最前面，叔叔先还给她指路，后来才发现她居然很自然地拐弯很自然地绕过小山坡最后立在萱儿的坟前。

我们一起上了香点了蜡，然后悄然和叔叔都蹲在坟前却是默默无语，于是我们三个很知趣地说先回去看锅，是想让他们一家人单独待会儿，他们肯定有千言万语要向对方倾诉……

我们刚转身走了几步，就吹过一阵凉风引来树叶沙沙作响——那个精灵她来了!

尾 声 两个人的孤单

我

他们说追求需要思索

思索需要孤独

而我的孤独需要感触

感触生命带来的甜蜜和疼痛

于是我好像成熟了——只是因为

我孤独了——只是太孤独了

　　悄然去爱尔兰马上就一年了，像高三那年一样，我们说好了互不联系而各自去"舍，得"，但是这次的约定却没有定下再相见的时间与有所得的界限，她甚至都忘了还欠我一个条件，走的时候没有任何声响。

　　我想，我确实受了悄然很大的影响，所有人都说我变得沉稳，但是只有我自己知道其实不是因为我真的成熟了，而是、而是因为我孤单了！原来听说过这样的话，说是没有爱的人就会感觉孤单，这点我承认！但是我没想到有了爱的情绪之后，人会被曾经不孤单的环境衬托出无止境的孤单……

　　大学第一年的寒假刚开始，楠楠、青格和我就到乐山去探望了叔叔，他并没有依着悄然的意思去镇上开家小店，而是继续忙碌那一眼望不完的田地，他说是想把钱存着以后给她女儿办嫁妆，后来我们三个商议一阵便集体攻击他，说是悄然知道他依然带着病去劳累一定不能安心学习，让他赶紧把田地交一部分出去然后在镇上把店子开起来，他当时很犹豫，不知道这个暑假再去时会不会看见他的店子？

　　而暑假里，我没能和青格、楠楠同去看望他，因为我在学校里除了学习自己的专业外，还报了外语专业的自考，刚好在暑假里要

参加考试。忙完了以后我先回家看爸妈，也在家休息了几天，青格他们也告诉我说他们已经到乐山逛了一圈，先是去阿姨那里蹭了饭就和阿姨一同去了河那边，还说叔叔的店子在阿姨的关注与监督下终于开起来了，是卖副食品的，货源都是批发部直接给他送上门，所以还算轻松，听了之后我就放心多了，也想着他们刚去打扰了他我就过几天再去吧，但是遗憾的是我问他们从阿姨那里有没有听到悄然的消息，他们说是然然那家伙连阿姨和叔叔都不联络的，一心只扑在学业上。

于是，我感到好受一点，起码她不是只不理我一个人！但是我也依然担心着，她一定不会一直不理叔叔和阿姨的，对我？我根本不敢想什么，我只能用我们原来那几千页的聊天记录来聊以自慰！

一页一页地翻，一页一页地翻着她与自己的表情——我们第一天的聊天记录是在八月十七号，我发给她第一句话是：我连着两天都在 028 成都里找你，你跑哪里去玩了？她回我的第一句话是：跑哪儿去？跟着我妈去收破烂儿呀！

我们的表情是从那天开始的，不对，应该是从她用"所有人"的名字在聊天室里捉弄我时开始的，她骂我是笨猪骂我是没有回收价值的破烂儿还喊我对她唱《征服》……

想着想着我又笑起我们那冤家一样的相识，那到底是我们正式用 QQ 聊天前多少天？我心里回想起来——我们在聊天室对骂的第一天，好像正好青格在网上问过我青羊宫的问题，我立即点开"帅得你喷血"的聊天记录，那天是——八月十一号！

我的天，我怎么可以不知道那天是八月十一号？我清楚地记得悄然在花园里问过我知道十一号是什么日子的，在去年她也特意约

了我们那一天去了河那边的。她一直都记得,她一直都认为那是个特别的日子,她是暗示我?为什么我要这么笨?我真的就是那笨猪冠军!

望一眼电脑下角,日期显示为八月十号,我的天,我差点就不知道明天是我们认识两周年的纪念,而这时候我记了起来,远在爱尔兰的她是不是已经淡然?

第二天,我一个人去了乐山,倒没直接去看望阿姨和叔叔,我想在这个特别的日子里去看看我们从前的脚步,还是和那次一样,我在乐山先看看大佛,然后乘车赶去峨眉市准备在那里住一晚第二天上山。在进站前,我依然看到了那棵被萱儿称为"大"梧桐的梧桐树,悄然说上面刻有她和萱儿的名字,这时候我决定去看看! 走近时,上面如她所说的一样刻着一个然然一个萱儿,但是她没说的、我也想到过的是上面居然还有个八月十一!

很明显八月十一的痕迹较她们的名字要新许多,这一定是悄然在去年或者是前年刻上去的。站在树前我望着那些字舍不得离开,我想了很久,为什么,为什么悄然不让我知道她在乎我,为什么她要我们两个人都陷在孤单里,难道她不知道这孤单的滋味太不好受? 不,她一定什么都知道,她是故意的,她一定有她的理由……

夜深的时候,我从旅馆摸了出来,带着把白天买来的小刀,我刻,刻了一个啸,我刻,再刻一颗心——圈住她的名字圈住萱儿的名字圈住我的名字再圈住八月十一。

对梧桐说声对不起,离开!

大二的时候,青格和楠楠终于在一起了,而且家长们知道后也都没反对。我替他们高兴着但是极度想不通两人的性格为什么像是

调换了一般——楠楠居然被大猩猩感染了"新世纪文盲综合症"，三天两头打电话时就爱损人，一点没了当初的淑女风范，而青格倒是没白在落榜时对我们信誓旦旦地说过那些豪言壮语，学习成绩非常理想，而且在学校里还当上了学生会主席，只是为人像几分原来的楠楠——超级爱教训人，啰唆得就像大话西游里那只苍蝇，每次跟他聊电话都有点手起刀落的冲动！

为了那首遇见悄然后喜欢上的歌我学会了识谱学会了吉他，但是后来我不唱那首歌了，因为我自己用孤单的、想念的滋味写了一首想要唱给她的歌，名字叫"在这里孤单"，当我夜里拨弄琴弦独自哼唱时，真希望远方的她能感应到我在这里想念她了！

你的眼　不流露任何内心的讯息　却看我发呆为它着迷还悄然而笑

你的唇　总对我说你已不是小孩　只是它不该忘了我也长大成了人

天还是一样会黑　谁可以号准生命的脉　如果你觉得累　就停下来有我的双手拍拍你的灰

人总是脆弱孤单　它使你困顿让你变乖　不要忍住委屈　让泪涌出有我的胸膛抹去你的伤

让我们一起孤单一起想念　一起一起离开避风的港湾

让我们一起简单一起自在　一起一起走进美丽的花园

我不疼　煎熬应该是杯心灵咖啡　苦了舌尖却偿还你一个清凉空间

我在等　等你收了羽翅说不再飞　飞过苍穹大地依然留恋我的

双肩

我在这里孤单　我在这里想念

我是唱着这首歌等到第四个八月十一的，我依然不知道她的任何消息，也不知道这一天的她是在乐山还是爱尔兰，我只知道我自己在黄昏里站在梧桐前对她说我长大了！

可是为什么你还不出来？为什么还要让我继续孤单？为什么你不把欠我的条件还给我？我现在只有一个条件——请允许我说声爱你！

谁来告诉我，到底是孤单了才长大还是长大了才会孤单？

"一个人如果总是注意着前方，往往就会把最好的风景遗忘在身后，请学会旋转做人！"

"一个人如果总是注意着背面，往往就会把最真的表情拱手于梧桐，请学会跳跃做人！"

"一个人如果孤单了才长大，就必须孤单！"

"一个人如果长大了才孤单，也必须长大！"

2004-12-19

十三　于温江